O MONGE QUE VENDEU SUA FERRARI

ROBIN SHARMA

O MONGE QUE VENDEU SUA FERRARI

Tradução
Gabriel Zide

17ª reimpressão

Copyright © 1997, 2007 by Robin S. Sharma

Grafia atualizada segundo o Acordo Ortográfico da Língua Portuguesa de 1990, que entrou em vigor no Brasil em 2009.

Título original
The Monk Who Sold His Ferrari

Capa e imagem de capa
Sérgio Campante

Revisão
Lucas Bandeira de Melo
Patrícia Sotello Soares
Cristiane Pacanowski

CIP-Brasil. Catalogação na fonte
Sindicato Nacional dos Editores de Livros, RJ

S541m
    Sharma, Robin S. (Robin Shilp)
        O monge que vendeu sua Ferrari / Robin Sharma; tradução Gabriel Zide. – 1ª ed. – Rio de Janeiro: Objetiva, 2011.

        Tradução de: The Monk who Sold his Ferrari.
    ISBN 978-85-390-0208-5

        1. Autorrealização - Ficção. 2. Profissões - Desenvolvimento - Ficção. 3. Ficção americana. I. Zide, Gabriel. II. Título.

10-5915
                                        CDD: 813
                                        CDU: 821.111.(73)-3

Todos os direitos desta edição reservados à
EDITORA SCHWARCZ S.A.
Rua Bandeira Paulista, 702, cj. 32
04532-002 — São Paulo — SP
Telefone: (11) 3707-3500
www.facebook.com/Fontanar.br
instagram.com/editorafontanar

Ao meu filho Colby,
que é o meu lembrete diário
de tudo o que é bom neste mundo.
Deus o abençoe.

AGRADECIMENTOS

O MONGE QUE VENDEU SUA FERRARI foi um projeto muito especial, que ganhou vida graças aos esforços de algumas pessoas muito especiais. Sou profundamente grato à minha sensacional equipe na Sharma Leadership International Inc., a todos os clientes que temos pelo mundo e à HarperCollins Canadá, minha incrível editora.

Meus agradecimentos também a Ed Carson por ter me descoberto numa livraria, quando eu era um autor que bancava os meus próprios livros, sem ter mais do que o sonho de compartilhar minha mensagem com aqueles que seriam ajudados por ela.

E, finalmente, meu melhor "muito obrigado" aos meus leitores, que me permitem receber a rara bênção de fazer o que eu amo.

Para mim, a vida não é uma vela que se apaga rapidamente. É uma espécie de tocha magnífica que carrego nesse momento e que eu quero que queime com o maior brilho possível, antes de passá-la às próximas gerações.

George Bernard Shaw

SUMÁRIO

Introdução   13
1. O Toque do Despertador   17
2. O Visitante Misterioso   25
3. A Milagrosa Transformação de Julian Mantle   29
4. Um Encontro Mágico com os Sábios de Sivana   41
5. Um Aluno Espiritual dos Sábios   45
6. A Sabedoria da Transformação Pessoal   51
7. Um Jardim Extraordinário   61
8. Alimentando o seu Fogo Interior   93
9. A Arte da Autoliderança   115
10. O Poder da Disciplina   165
11. Seu Bem Mais Precioso   181
12. O Verdadeiro Propósito da Vida   195
13. O Segredo Milenar para a Felicidade Eterna   203

INTRODUÇÃO

JÁ FAZ DEZ anos que escrevi *O Monge que Vendeu Sua Ferrari* e, nesse meio-tempo, a vida me levou a lugares muito interessantes, inesperados e maravilhosos. E a vida é assim mesmo, não é?

Meu sonho começou muito pequeno. Eu era um advogado muito pouco realizado, levando uma vida que não era a minha. Estava envolvido na tarefa de tentar ser bem-sucedido aos olhos dos outros — e me traindo nesse processo. Desde então descobri que o sucesso é disputar a sua própria corrida, se sentir confortável na própria pele e viver à sua maneira. Você não quer chegar ao leito de morte e perceber que nunca foi você mesmo — e que acabou vivendo o sonho de outra pessoa. Isso vai partir o seu coração. Pode confiar em mim, pois já vi isso acontecer.

A primeira edição de *O Monge que Vendeu sua Ferrari* teve uma tiragem pequena. Ninguém levava muita fé no livro. Alguns diziam que o título não ia cativar as pessoas. Outros diziam que, como eu era um total desconhecido, o livro não venderia bem. E outros ainda diziam que o mercado já estava saturado de livros sobre sucesso pessoal. Apenas 23 pessoas foram à minha primeira palestra — sendo que 21 eram membros da minha família. Mas eu insisti. Alguns zombavam do meu sonho de ver o livro publicado em outros países. Eu não dei bola para eles. Porque, se você der ouvido às críticas, nunca fará nada que seja realmente incrível. E os sonhos que você mantém bravamente em seu coração sofrerão uma morte lenta — o que resultará na destruição de sua paixão e de seu brilho pessoal. E por isso eu insisti, e fracassei muitas vezes, só para perceber que, sem fracassos, não pode haver sucesso. E que, quanto mais dura é a subida para o seu topo pessoal, mais inesquecível (e magnífica) será a sensação quando você chega lá.

Quando o livro apareceu no mercado, uma coisa extraordinária começou a acontecer: as pessoas para as quais eu escrevera o livro adoraram a mensagem. Os leitores sentiram uma ligação profunda com a história de um advogado famoso que abriu mão de sua vida luxuosa (inclusive de sua estimada Ferrari) para encontrar os segredos ocultos de uma vida de felicidade duradoura, realização verdadeira e incrível paz interior. E esses leitores decidiram me ajudar. Eles falaram do livro com todos os seus amigos e conhecidos com uma paixão que eu nunca tinha visto na vida.

De leitor em leitor, o boca a boca começou a divulgar *O Monge que Vendeu sua Ferrari*. Por toda a América do Norte. Por toda a América do Sul. Pela Europa, pela África, pelo Oriente Médio e pela Ásia. E, finalmente, Austrália e Nova Zelândia. O livro, até agora, foi publicado em 42 idiomas, emocionou pessoas de todos esses territórios e chegou ao primeiro lugar das listas de mais vendidos no mundo inteiro. Ele foi abraçado por CEOs da lista das quinhentas maiores empresas da revista *Fortune* e por estrelas do rock. Foi lido por empreendedores extremamente bem-sucedidos e por alunos de ensino médio. Membros de famílias reais leram o livro, assim como gente como você e eu — pessoas comuns que anseiam fazer algo de extraordinário.

Toda essa experiência me abriu horizontes. E me lembrou do desejo que existe em cada um de nós de realizar a nossa grandeza singular. E quer saber uma coisa? Você realmente pode fazer dessa grandeza uma realidade. Começando hoje. Nunca é tarde demais para se tornar a pessoa que você sempre quis ser.

Por isso, obrigado por estar lendo essa edição de 10º aniversário de *O Monge que Vendeu sua Ferrari*. Espero que este livro inspire você a brilhar mais do que nunca e brincar com as possibilidades poéticas que podem vir a ser a sua vida. Também espero que se junte à comunidade de pessoas iguais a você — indivíduos dedicados a criar um extraordinário sucesso pessoal e profissional, ao mesmo tempo exercem um impacto positivo no mundo à sua volta — no site robinsharma.com. O sucesso é maravilhoso. Mas é melhor ainda quando há um significado.

Que a sua vida seja uma obra de arte. E que você deixe um legado que habite os corações daqueles que o seguirão.

Robin Sharma

O TOQUE DO DESPERTADOR 1

ELE DESABOU BEM no meio de um tribunal lotado. Era um dos advogados mais respeitados do país. Também era uma figura conhecida tanto pelos ternos italianos de 3 mil dólares que adornavam o seu corpo bem alimentado quanto pelo surpreendente histórico de vitórias jurídicas. Eu simplesmente fiquei ali, paralisado pelo choque do que acabara de testemunhar. O grande Julian Mantle havia sido reduzido à posição de vítima e agora se contorcia no chão como um bebê indefeso, tremendo, suando e esperneando loucamente.

A partir daquele momento, tudo pareceu correr em câmera lenta. "Meu Deus, o Julian está mal!", gritou sua assistente, oferecendo uma explicação emotiva do óbvio. A juíza parecia estar em pânico e murmurou algumas palavras rápidas no telefone particular instalado para casos de emergência. Quanto a mim, só consegui ficar ali de pé, atordoado e perdido. *Por favor, não morra, bode velho. É cedo demais para você partir. Você não merece morrer assim.*

O oficial de justiça, que antes parecia ter sido embalsamado na posição em que se encontrava, partiu para a ação e começou a fazer uma massagem cardíaca no grande jurista derrubado. A assistente se colocou ao lado dele, com os cachos longos e louros caindo sobre o rosto vermelho-rubi de Julian, oferecendo-lhe palavras tranquilizadoras de conforto, palavras que ele evidentemente não conseguia ouvir.

Eu conhecia Julian havia 17 anos. O primeiro encontro se deu quando eu ainda era um jovem estudante de Direito, contratado por um de seus sócios como estagiário de pesquisa durante as férias de verão. Naquela época, ele era um fenômeno: um advogado brilhante no tribunal, elegante e destemido, com sonhos de grandeza. Julian era a jovem estrela em ascensão do escritório, um fenômeno em potencial. Ainda me lembro da noite em que eu estava trabalhando até tarde e, passando por sua magnífica sala, dei uma espiada na citação emoldurada que ele mantinha sobre a enorme mesa de carvalho. Era de Winston Churchill e refletia nitidamente o tipo de homem que Julian era:

> *Hoje eu estou certo de que nós somos os senhores do nosso destino; de que a tarefa que foi colocada diante de nós não está acima das nossas forças; de que suas dores e provações não estão acima da nossa resistência. Enquanto tivermos fé na nossa causa e um desejo indestrutível de vencer, a vitória não nos será negada.*

Julian não era só papo. Era durão, exigente e disposto a trabalhar até 18 horas por dia pelo sucesso que ele acreditava ser o seu destino. Ouvi dizer que o avô dele tinha sido um senador de grande projeção e que o pai era um juiz altamente respeitado na Corte Federal. Era evidente que nascera em berço de ouro e que expectativas enormes pesavam sobre os seus ombros drapeados de Armani. Mas eu tenho que admitir uma coisa: ele era mestre do próprio destino. Estava determinado a fazer as coisas à sua maneira — e adorava dar um show.

Os gestos teatrais e exagerados de Julian no tribunal frequentemente iam parar nas primeiras páginas dos jornais. Os ricos e famosos pulavam em cima dele cada vez que precisavam de um estrategista jurídico ímpar com um toque de agressividade. Suas atividades extracurriculares eram possivelmente tão conhecidas quanto seu talento. As esticadas de fim de noite nos restaurantes mais chiques da cidade, acompanhado por lindas modelos de passarela, ou os porres homéricos com um bando de corretores arruaceiros que ele chamava de "tropa de demolição", viraram uma espécie de lenda no escritório.

Eu ainda não sei por que me escolheu para trabalhar com ele num sensacional caso de homicídio que iria defender naquele verão. Embora eu tivesse me formado em Direito por Harvard, a mesma faculdade que ele, eu certamente não era o estagiário mais promissor do escritório e minha família não trazia nenhum sangue azul. Meu pai passara a vida inteira trabalhando como segurança de um banco, depois de uma temporada com os Fuzileiros Navais. E a minha mãe foi criada sem maiores requintes no Bronx.

No entanto, ele havia me escolhido dentre todos os outros que silenciosamente faziam lobby pelo privilégio de ser seu assistente legal naquele que se tornaria conhecido como "o maior julgamento de homicídio de todos os tempos". Ele disse que gostava da minha "fome". Nós ganhamos, é claro, e o executivo que fora acusado de matar brutalmente sua mulher era agora um homem livre — ou tão livre quanto sua consciência conturbada lhe permitisse ser.

A educação que recebi naquele verão foi muito rica. Foi muito mais do que uma lição sobre como levantar uma dúvida razoável onde não havia dúvida alguma — qualquer advogado digno de nome sabe fazer isso. Era uma lição sobre a psicologia de um vencedor e uma rara oportunidade de ver um mestre em ação. Eu absorvi tudo como se fosse uma esponja.

Julian me convidou para continuar no escritório como associado e uma longa amizade rapidamente se desenvolveu entre nós. Tenho que confessar que não era muito fácil trabalhar com ele. Atuar como seu advogado júnior costumava ser um exercício de frustração; não foram poucas as discussões que tivemos noite adentro. Ou você fazia as coisas à sua maneira, ou não ia durar muito. O cara nunca podia estar errado. No entanto, por baixo daquele exterior rascante havia uma pessoa que realmente se importava com os outros.

Independentemente de quão atarefado estivesse, ele sempre perguntava pela Jenny, a mulher que até hoje eu chamo de "minha noiva", embora tenhamos nos casado antes mesmo de eu começar o curso de Direito. Quando outro estagiário do escritório lhe contou que eu estava passando por dificuldades financeiras, Julian me inscreveu num programa que oferecia uma bolsa generosa. Sim, ele era uma fera implacável nos tribunais, e é bem verdade que adorava uma farra, mas não abandonava os amigos. O problema mesmo era que, para Julian, o trabalho havia se tornado uma obsessão.

Nos primeiros anos, ele dizia que trabalhava até tarde "para o bem do escritório" e que pretendia tirar um mês de férias e ir ao Caribe "no *próximo* inverno, certamente". No entanto, com o passar do tempo, sua reputação como advogado brilhante se espalhou e sua carga horária só aumentou. Apareciam casos cada vez maiores e melhores, e Julian, que não recusava um bom desafio, continuava a exigir cada vez mais de si mesmo. Nos seus raros momentos de calma, admitia que não conseguia dormir mais do que algumas horas sem se sentir culpado por não estar trabalhando num processo. Logo ficou claro para mim que ele estava sendo consumido pela fome do "mais": mais prestígio, mais glória e mais dinheiro.

Como já era de se esperar, Julian se tornou extremamente bem-sucedido. Conseguiu tudo aquilo com que as pessoas sempre sonham: uma reputação profissional espetacular, com renda anual milionária, uma mansão magnífica no bairro favorito das celebridades, um jatinho particular, uma casa de praia numa ilha tropical e sua propriedade mais querida — uma reluzente Ferrari vermelha, estacionada bem na entrada da casa.

No entanto, eu sabia que a situação não era tão idílica quanto a superfície fazia parecer. Observei os sinais da tragédia iminente não por ser mais perceptivo que os demais integrantes do escritório, mas simplesmente porque passava mais tempo com ele. Estávamos sempre juntos porque estávamos sempre trabalhando. Parecia que o ritmo não diminuía nunca. Havia sempre outro caso bombástico no horizonte, maior e mais importante que o anterior. Para Julian, nunca estávamos suficientemente bem-preparados. O que aconteceria se, Deus me livre, o juiz levantasse essa ou aquela questão? O que aconteceria se nossa pesquisa ficasse a um passo da perfeição? O que aconteceria se ele fosse pego despreparado no meio do tribunal, como um animal indefeso surpreendido no meio da estrada pelas luzes do farol de um carro? Por isso exigíamos de nós mesmos até o limite, e eu acabei sendo sugado para dentro desse mundo que girava em torno do trabalho. Lá estávamos nós, escravos do relógio, quebrando nossas cabeças no 64º andar de um monólito de aço e vidro, enquanto a maioria das pessoas normais estava em casa com a família, achando que nós tínhamos o mundo nas mãos, incapazes de enxergar a verdade por causa de nossa visão ilusória do sucesso.

Quanto mais tempo passava com Julian, mais eu percebia que ele estava se enterrando muito fundo. Era como se, no íntimo, ele desejasse morrer. Nada era capaz de o satisfazer. Com o tempo, seu casamento acabou, ele deixou de falar com o pai e, embora tivesse todos os bens materiais que alguém gostaria de ter, ainda não encontrava o que estivesse procurando, seja lá o que fosse. E isso era visível emocional, física e espiritualmente.

Aos 53 anos de idade, Julian tinha cara de já estar beirando os 80. Seu rosto era todo enrugado, uma homenagem pouco gloriosa à sua postura geral de "não levar desaforo para casa" e especialmente ao tremendo estresse do seu estilo de vida desequilibrado. Os jantares de madrugada nos mais caros restaurantes franceses, fumando charutos cubanos e bebendo um conhaque após o outro, eram responsáveis por um ganho de peso constrangedor. Ele vivia reclamando, alegando estar cansado de se sentir tão cansado. Perdera completamente o senso de humor e parecia não rir mais de nada. O antigo entusiasmo de Julian fora substituído por um desânimo funesto. Pessoalmente, eu acreditava que a vida dele tinha perdido todo o propósito.

Talvez a coisa mais triste fosse que ele também perdera o foco no tribunal. Enquanto antes era capaz de encantar a todos com uma argumentação final eloquente e irretocável, Julian passou a se prolongar por horas a fio, divagando sobre casos desconhecidos que eram pouco relevantes ao assunto em questão. Onde antes demonstrava elegância na reação aos argumentos da oposição, agora ele lançava mão de um sarcasmo cortante que levava ao limite a paciência dos juízes que sempre o haviam considerado um gênio. Em suma, a chama vital de Julian começara a se apagar.

Não era só a tensão do seu ritmo frenético que apontava para uma morte precoce. Minha sensação era de que algo muito mais profundo estava acontecendo. Para mim, parecia ter um aspecto espiritual. Quase todos os dias ele me contava que não sentia paixão alguma pelo trabalho e que estava envolto num vazio profundo. Julian me disse que, quando jovem, adorava o Direito, embora tivesse sido levado a essa escolha pelos objetivos sociais de sua família. As complexidades das leis e o desafio intelectual do exercício da profissão o deixavam fascinado e cheio de energia. O poder de gerar mudanças para a sociedade o inspirava e motivava. Naquela época, ele era mais do que um garoto rico de Connecticut. Ele realmente se via como uma força para o bem, um instrumento para as melhorias sociais. Achava que poderia utilizar seu evidente talento para ajudar os outros. Essa visão dava sentido à sua vida. Deu-lhe um propósito e alimentou suas expectativas.

No entanto, o desmoronamento de Julian não se resumia a uma simples falha na sua ligação com o trabalho. Antes de eu entrar para o escritório, ele havia sofrido uma grande tragédia pessoal. De acordo com um dos sócios majoritários, acontecera algo tão terrível que não se podia tocar no assunto, e eu não consegui que ninguém abrisse o jogo comigo. Até o velho Harding, um sócio conhecidamente linguarudo que passava mais tempo no bar do Ritz-Carlton do que em sua sala gigantesca, disse que havia jurado manter segredo. Qualquer que fosse esse segredo profundo e obscuro, eu desconfiava de que, de alguma maneira, ele contribuía para a espiral descendente de Julian. É claro que estava curioso, mas, acima de tudo, eu queria ajudá-lo. Ele não era apenas um mentor; era meu melhor amigo.

    Finalmente aconteceu. O infarto fulminante que trouxe o brilhante Julian Mantle de volta ao planeta Terra e o conectou com a própria mortalidade. E foi bem no meio do tribunal nº 7, numa segunda-feira de manhã, no mesmo lugar em que havíamos vencido o maior julgamento de homicídio de todos os tempos.

O VISITANTE MISTERIOSO 2

HOUVE UMA REUNIÃO de emergência com todos os integrantes do escritório. Enquanto nos espremíamos na principal sala de reunião, eu já podia ver que estávamos diante de um problema sério. O velho Harding foi o primeiro a se pronunciar.

— Eu lamento ser o portador de uma notícia tão ruim. Julian Mantle sofreu um ataque cardíaco bastante sério ontem no tribunal, enquanto defendia o caso da Air Atlantic. No momento ele está na unidade de terapia intensiva, mas os médicos me informaram que a situação dele agora é estável e que ele irá se recuperar. No entanto, Julian tomou uma decisão, que eu acho que todos vocês devem saber. Ele decidiu deixar a nossa família e abandonar de vez o Direito. Ele não vai mais voltar ao escritório.

Foi um choque. Eu sabia que ele tinha problemas sérios, mas nunca pensei que fosse largar tudo. Além disso, depois do que passamos juntos, eu achava que ele devia ter feito a gentileza de me dizer isso pessoalmente. Mas ele não permitira sequer que eu o visitasse no hospital. Toda vez que eu passava por lá, as enfermeiras haviam sido instruídas a me informar que ele estava dormindo e não podia ser incomodado. Ele até se recusou a atender os meus telefonemas. Talvez eu lhe lembrasse da vida que ele queria esquecer, sei lá. Mas uma coisa é certa: aquilo me magoou.

Tudo isso aconteceu há pouco mais de três anos. A última notícia que eu tive é de que Julian tinha viajado para a Índia, em algum tipo de expedição. Ele contou a um dos sócios que queria simplificar sua vida, que "precisava buscar certas respostas" e que esperava encontrá-las naquele país místico. Ele havia vendido sua mansão, seu jatinho e sua ilha particular. Vendera até mesmo sua Ferrari. "Julian Mantle, um iogue indiano", pensei. "A Justiça escreve mesmo por linhas tortas."

Ao longo desses últimos três anos, o jovem advogado estressado que eu fora se transformou num profissional mais velho, blasé e um tanto cínico. Eu e Jenny, minha mulher, já tínhamos formado uma família. Com o tempo, eu mesmo dei início à minha busca por sentido. Acho que foi o fato de ter filhos que disparou esse processo. Eles mudaram fundamentalmente a maneira como eu enxergava o mundo e meu papel dentro dele. Meu pai foi quem colocou isso da melhor maneira quando falou: "John, quando você estiver no seu leito de morte, não vai desejar ter passado mais tempo no escritório." Por isso, comecei a passar mais tempo em casa. Me acomodei numa rotina bastante agradável, embora meio medíocre. Entrei para o Rotary Club e, aos sábados, jogava golfe para agradar os sócios e os clientes. Mas a verdade é que, nos meus momentos de silêncio, pensava frequentemente em Julian e imaginava o que acontecera com ele depois de nossa inesperada perda de contato.

Talvez ele tivesse se instalado na Índia, um lugar tão variado que até uma alma irrequieta como a dele poderia ter se fixado lá. Ou quem sabe estivesse fazendo uma trilha pelo Nepal? Ou mergulhando nas águas do Caribe? Uma coisa era certa: ele não havia voltado a exercer a advocacia. Ninguém recebera um cartão-postal sequer dele, desde que se exilara voluntariamente do meio jurídico.

Uma batida na minha porta há cerca de dois meses trouxe as primeiras respostas a algumas dessas perguntas. Eu tinha acabado de me reunir com o meu último cliente num dia insuportável quando Genevieve, minha inteligentíssima advogada assistente, meteu a cabeça na minha pequena, mas elegante, sala.

— John, tem uma pessoa aqui querendo ver você. Ele diz que é urgente e que não vai sair enquanto não falar com você.

— Eu já estou de saída, Genevieve — respondi, impaciente. — Eu vou comer uma coisinha antes de terminar o briefing do Hamilton. E não estou com tempo de ver ninguém agora. Manda ele marcar uma hora, como todo mundo, e, se ele continuar incomodando, chama o segurança.

— Mas ele diz que realmente precisa falar com você. E se recusa a receber um não como resposta!

Por um momento, pensei em pessoalmente chamar o segurança, mas, percebendo que talvez fosse uma pessoa realmente necessitada, adotei uma postura mais gentil.

— Tudo bem, manda ele entrar — cedi. — Eu até que estou precisando de mais um cliente.

A porta da minha sala se abriu lentamente. Quando finalmente se escancarou, pude ver um homem sorridente de uns 35 anos. Ele era alto, magro e musculoso e irradiava energia e vitalidade abundantes. Logo veio à mente a imagem daqueles garotos perfeitos que frequentaram o curso de Direito comigo — jovens de famílias perfeitas, com casas perfeitas, carros perfeitos e a pele perfeita. Mas o meu visitante tinha mais do que uma aparência jovial. Uma paz subjacente lhe concedia uma presença quase divina. E seus olhos... Eram de um azul penetrante, cortantes como uma navalha que encontra a pele macia de um adolescente louco para se barbear pela primeira vez.

"Mais um advogado figurão querendo o meu lugar", pensei comigo mesmo. "Mas, caramba, por que ele está ali de pé, olhando para mim? Espero que não tenha sido a mulher dele que eu representei naquele megacaso de divórcio que ganhei semana passada. Talvez chamar o segurança não seja má ideia."

O jovem continuou a me olhar, mais ou menos da maneira como um Buda sorridente teria olhado para um discípulo favorito. Depois de um longo período de silêncio desconfortável, ele falou num tom de voz surpreendentemente incisivo.

— É assim que você trata os seus visitantes, John? Até mesmo os que ensinaram tudo o que você sabe sobre a arte de vencer um julgamento? Eu devia ter guardado os meus segredos para mim — disse ele, seus lábios se curvando num poderoso sorriso.

Uma sensação estranha me mordeu na boca do estômago. Reconheci imediatamente aquela voz rascante, mas suave como mel. Meu coração começou a bater forte.

— Julian? É você? Não acredito! É mesmo você?

O visitante deu um gargalhada, confirmando minhas suspeitas. O jovem sentado diante de mim não era nada mais, nada menos do que o iogue que havia muito tempo desaparecera na Índia: Julian Mantle. Fiquei estupefato com aquela incrível transformação. Não havia nenhum sinal do aspecto pálido, da tosse perpétua e dos olhos sem vida do meu antigo colega. Também não vi nenhum sinal da aparência envelhecida e da expressão mórbida que haviam se tornado a sua marca pessoal. Em vez disso, o homem à minha frente pareceu estar no auge da forma, com uma pele reluzente e sem rugas. Seus olhos brilhantes eram uma janela para a sua extraordinária vitalidade. Talvez mais espantoso ainda fosse a serenidade que Julian exalava. Eu me senti totalmente em paz, simplesmente por estar sentado ali e olhando para ele. Ele não era mais aquele sujeito estressado e ansioso, sócio majoritário de um grande escritório de advocacia. Em seu lugar havia um homem jovial e vital, além de sorridente — um exemplo de mudança.

A MILAGROSA TRANSFORMAÇÃO DE JULIAN MANTLE

3

FIQUEI ESPANTADÍSSIMO COM o novo e melhorado Julian Mantle. Pensei, silencioso e incrédulo: "Como é que alguém que, há apenas alguns anos, parecia um velho cansado agora parece tão vivo e vibrante? Será que alguma poção mágica permitiu que ele bebesse da fonte da juventude? Qual seria a causa dessa reviravolta extraordinária?"

Julian foi o primeiro a falar. Disse que o hipercompetitivo mundo do Direito havia lhe cobrado um preço alto, não só física e emocionalmente, mas também no nível espiritual. O ritmo acelerado e as exigências infinitas tinham-no exaurido e estraçalhado. Confessou que seu corpo havia desmoronado e sua mente perdera o brilho. Seu ataque cardíaco foi apenas um sintoma de um problema mais profundo. A constante pressão e a agenda exaustiva de um renomado advogado de litígio também haviam afetado o seu bem mais importante, e talvez o mais humano: seu espírito. Ao receber o ultimato do médico — dizer adeus ao Direito ou à própria vida —, ele vislumbrou uma oportunidade de ouro para reavivar o fogo interior que estava tão presente quando era jovem — um fogo que havia se apagado quando o Direito se tornara mais um negócio do que um prazer.

Julian ficou visivelmente mais animado quando contou como vendeu todas as suas posses materiais e partiu para a Índia, um país cuja cultura ancestral e cujas tradições místicas sempre o haviam fascinado. Ele viajou de vilarejo a vilarejo, às vezes a pé, às vezes de trem, aprendendo novos hábitos, vendo as paisagens infinitas e passando a amar o povo indiano, que exalava calor humano, gentileza e uma perspectiva revigorante sobre o verdadeiro significado da vida. Mesmo as pessoas que tinham muito pouco abriram suas casas — e seus corações — ao cansado visitante do Ocidente. À medida que os dias foram se transformando em semanas nesse ambiente encantador, Julian foi lentamente passando a se sentir mais vivo e mais inteiro, talvez pela primeira vez desde a infância. Aos poucos, sua curiosidade natural e sua faísca criativa foram voltando junto com o entusiasmo e a energia pela vida. Ele passou a se sentir mais alegre e em paz. E começou a rir de novo.

Embora tenha curtido todos os momentos que passou naquela terra exótica, Julian me contou que sua viagem à Índia não fora simples férias para uma mente mais do que fatigada. Ele descreveu seu tempo naquele país distante como uma "odisseia pessoal do eu interior". Confidenciou que estava determinado a descobrir quem ele realmente era e o que significava mesmo a sua vida, antes que fosse tarde demais. Para isso, sua primeira prioridade era se conectar com o vasto manancial de sabedoria milenar sobre como levar uma vida mais compensadora, edificante e iluminada.

— Eu não quero parecer alguém de outro mundo, John, mas foi como se eu tivesse recebido uma ordem de dentro, uma instrução interior me dizendo que eu devia começar uma viagem espiritual para reacender a chama que eu havia perdido. Foi uma época extremamente libertadora para mim.

Quanto mais ele explorava, mais ouvia falar dos monges indianos que ultrapassavam os 100 anos de idade, monges que, apesar da idade avançada, levavam vidas joviais, enérgicas e cheias de vitalidade. Quanto mais ele viajava, mais aprendia sobre os iogues eternos que haviam dominado a arte de controlar a mente e do despertar espiritual. E, quanto mais ele conhecia, mais profundo era o desejo de compreender a dinâmica por trás desses milagres da natureza humana, na expectativa de aplicar a filosofia deles à sua própria vida.

Nas etapas iniciais da viagem, Julian procurou muitos professores conhecidos e altamente respeitados. Contou que todos eles o receberam de braços e corações abertos, dividindo todas as preciosidades de sabedoria que haviam absorvido em vidas passadas em silenciosa contemplação sobre os aspectos mais elevados da existência. Julian também tentou descrever a beleza dos templos antigos espalhados pela paisagem mística da Índia, edifícios que se erguiam como a porta de entrada real para a sabedoria milenar. Disse ter ficado emocionado pela natureza sagrada desses lugares.

— Foi um momento muito mágico da minha vida, John. Lá estava eu, um velho advogado cansado, que vendera tudo o que tinha, do cavalo puro-sangue até o Rolex, e empacotei tudo o que sobrou numa velha mochila que seria minha companheira constante na aventura rumo às tradições imortais do Oriente.

— Foi difícil largar tudo? — perguntei em voz alta, incapaz de conter a curiosidade.

— Não. Aliás, foi a coisa mais fácil que já fiz na vida. A decisão de abandonar o Direito e todas as minhas posses materiais pareceu bastante natural. Albert Camus um dia disse que "a verdadeira generosidade em relação ao futuro consiste em entregar tudo ao presente". Bem, foi exatamente isso o que eu fiz. Eu sabia que precisava mudar. Por isso, decidi ouvir o meu coração e agir de forma drástica. A minha vida ficou tão mais simples e cheia de significado quando deixei para trás a bagagem do meu passado. Na hora em que parei de gastar tanto tempo correndo atrás dos grandes prazeres da vida, comecei a curtir os menores, como ver as estrelas dançando num céu iluminado pela lua, ou me deleitar com os raios de sol de uma linda manhã de verão. E a Índia é um lugar tão intelectualmente estimulante que eu raramente pensei em tudo o que deixei para trás.

Aqueles encontros iniciais com os estudiosos e os sábios daquela cultura exótica, apesar de instigantes, não trouxeram o conhecimento do qual Julian estava sedento. Naqueles primeiros dias de sua odisseia, a sabedoria que ele almejava e as práticas que esperava que fossem mudar sua qualidade de vida continuavam fora de seu alcance. Foi só quando estava viajando havia cerca de sete meses que Julian conseguiu seu primeiro progresso verdadeiro.

Na Caxemira, um estado antigo e místico que repousa silenciosamente ao pé da cordilheira do Himalaia, ele teve a boa ventura de conhecer um iogue chamado Krishnan. Esse homem esbelto, de cabeça inteiramente raspada, também fora advogado em sua "vida passada", como geralmente contava brincando com um sorriso que exibia todos os dentes. Farto do ritmo acelerado tão característico da moderna Nova Déli, ele também abriu mão de seus bens materiais e se retirou para um mundo de maior simplicidade. Ao virar o zelador do templo da aldeia, disse Krishnan, passara a conhecer a si mesmo e sua missão no quadro mais amplo da vida.

— Eu estava cansado de viver a vida como se estivesse num interminável bombardeio antiaéreo. Percebi que a minha missão é servir aos outros e, de alguma maneira, contribuir para tornar este mundo um lugar melhor. Hoje eu vivo para me doar — contou a Julian. — Passo os dias e as noites no templo, levando uma vida austera, mas gratificante. Compartilho as minhas realizações com todos que vêm aqui para orar. Sirvo aos necessitados. Não sou um sacerdote. Apenas um homem que encontrou sua alma.

Julian contou sua própria história ao iogue que fora advogado. Falou de sua antiga vida de fama e privilégios. Contou a Krishnan sobre sua fome de riqueza e sua obsessão pelo trabalho. Revelou, com grande emoção, seu interior e a crise espiritual que o abateu quando a luz que sempre brilhara em sua vida ameaçou se apagar com os ventos de um estilo de vida desequilibrado.

— Eu também trilhei essa estrada, meu amigo. Também senti a dor que você sentiu. Mas aprendi que tudo acontece por um motivo — ofereceu, simpático, o iogue Krishnan. — Todo acontecimento tem uma função e cada adversidade é uma lição. Eu descobri que o fracasso, seja pessoal, profissional ou espiritual, é fundamental para a expansão pessoal. Ele proporciona o crescimento interior e uma série de recompensas psíquicas. Nunca se arrependa do seu passado. Em vez disso, abrace-o como o mestre que ele é.

Depois de ouvir essas palavras, Julian me disse que se sentiu exultante. Talvez, no iogue Krishnan, ele tenha encontrado o mentor que estivera procurando. Quem podia ser mais indicado do que outro ex-advogado figurão, que, através de sua própria odisseia espiritual, encontrara uma maneira melhor de viver, para lhe ensinar os segredos de uma vida de mais equilíbrio, encantamento e deleite?

— Eu preciso da sua ajuda, Krishnan. Preciso aprender a construir uma vida mais rica e íntegra.

— Eu ficarei honrado em ajudá-lo de qualquer maneira possível — ofereceu o iogue. — Mas posso fazer uma sugestão?

— É claro.

— Desde que passei a cuidar deste templo, ouço boatos sobre um grupo místico de sábios que mora lá no alto do Himalaia. Reza a lenda que eles descobriram uma espécie de sistema que ajuda a melhorar substancialmente a qualidade de vida das pessoas, e não apenas fisicamente. Imagina-se que seja um conjunto integrado de princípios holísticos milenares e técnicas para liberar o potencial da mente, do corpo e da alma.

Julian estava fascinado. Soava perfeito.

— E exatamente onde moram esses monges?

— Ninguém sabe e eu lamento já ser velho demais para começar a procurá-los. Mas vou te dizer uma coisa, meu amigo: muita gente tentou encontrá-los e muitos fracassaram, com consequências trágicas. Os patamares mais altos do Himalaia são traiçoeiros. Até o alpinista mais habilidoso fica indefeso diante da devastação natural. Mas, se o que você está procurando são as chaves douradas para uma saúde radiante, uma felicidade duradoura e a satisfação interior, eu não tenho a sabedoria que você busca. Eles é que têm.

Julian, que nunca foi de desistir facilmente, voltou a pressionar o iogue Krishnan.

— Tem certeza de que você não faz a menor ideia de onde eles moram?

— A única coisa que posso dizer é que os habitantes aqui da aldeia os chamam de Grandes Sábios de Sivana. Na mitologia local, Sivana significa "oásis de iluminação". Esses monges são reverenciados como se tivessem uma constituição e uma influência divinas. Se eu soubesse onde eles estão, teria o dever de informar a você. Mas, honestamente, eu não sei e, para falar a verdade, ninguém sabe.

Na manhã seguinte, quando os primeiros raios de sol na Índia começaram a dançar no horizonte colorido, Julian iniciou sua caminhada rumo ao território perdido de Sivana. No início, pensou em contratar um guia xerpa para ajudá-lo na escalada pelas montanhas, mas, por uma estranha razão, seus instintos lhe disseram que essa era uma viagem que ele teria que fazer sozinho. Portanto, talvez pela primeira vez na vida, ele guardou a voz da razão e depositou sua confiança na intuição. Sentia que estaria seguro. De alguma forma sabia que iria encontrar o que procurava. E assim, com o zelo de um missionário, ele começou a subir.

Os primeiros dias foram fáceis. Às vezes ele encontrava com um dos bem-humorados habitantes da aldeia lá embaixo que caminhava por uma das trilhas, talvez buscando um pedaço de madeira ideal para uma escultura, ou procurando o santuário que aquele lugar surreal oferecia aos que se atreviam a se aventurar a esse ponto no céu. Outras vezes ele andava sozinho, utilizando o tempo para refletir em silêncio sobre os lugares que já conhecera na vida — e o lugar para onde se dirigia naquele momento.

Não demorou muito até que a aldeia não passasse de um minúsculo ponto nessa magnífica tela exuberante da natureza. A majestade dos picos cobertos de neve no Himalaia fez seu coração bater mais forte e, por um instante, ele ficou sem fôlego. Sentiu uma união com o ambiente a seu redor, o tipo de relação que dois velhos amigos conseguem desfrutar depois de muitos anos ouvindo os pensamentos mais íntimos e rindo das piadas um do outro. O ar fresco da montanha limpava a sua mente e energizava o seu espírito. Depois de viajar muitas vezes pelo mundo, Julian achava que já tivesse visto de tudo. Mas nunca presenciara tamanha beleza. As maravilhas que ele experimentou naquele momento mágico eram um tributo singular à sinfonia da natureza. Na mesma hora ele se sentiu alegre, exultante e despreocupado. Foi ali, muito acima da humanidade lá embaixo, que Julian lentamente se aventurou para fora do casulo do ordinário e começou a explorar o recinto do extraordinário.

— Eu ainda me lembro das palavras que passavam pela minha cabeça lá em cima — disse Julian. — Pensei que, no fim das contas, a vida é feita de escolhas. O destino de uma pessoa se desenrola de acordo com as escolhas que ela faz e tive certeza de que fizera a escolha certa. Eu sabia que a minha vida nunca mais seria a mesma e que algo maravilhoso, talvez até milagroso, estava prestes a acontecer comigo. Foi um despertar incrível.

À medida que Julian galgava as regiões mais rarefeitas da cordilheira do Himalaia, ele contou que foi ficando mais angustiado.

— Mas era uma ansiedade positiva, como a sensação que eu tinha antes de uma grande festa quando era adolescente, ou logo antes de um caso importante começar e a imprensa andar na minha cola no tribunal. E, embora eu não tenha tido a vantagem de ter um mapa ou um guia, o caminho estava livre e uma trilha muito pouco utilizada me levou ainda mais para o alto, para os recônditos mais profundos daquelas montanhas. Foi como se eu tivesse uma espécie de bússola interior, me empurrando gentilmente em direção a meu destino. Eu não acredito que teria sido capaz de parar de subir, mesmo se eu quisesse.

Julian estava todo animado, as palavras jorrando de sua boca como um riacho após a chuva.

Enquanto trilhava por mais dois dias a rota que ele torcia que o levasse até Sivana, seus pensamentos voltaram à sua vida anterior. Embora se sentisse totalmente liberto do estresse e das tensões que personificavam o seu velho mundo, ele se perguntou se realmente conseguiria passar o resto de seus dias sem o desafio intelectual que a advocacia lhe oferecera desde que se formara em Harvard. Seus pensamentos então se voltaram para a sua sala com painéis de carvalho num arranha-céu reluzente no centro da cidade e na paradisíaca casa de praia que ele vendera por uma ninharia. Pensou nos velhos amigos com quem frequentara os restaurantes mais exclusivos, nos lugares mais badalados. Também pensou na cobiçada Ferrari e em como seu coração disparava quando ele dava a partida no motor e toda a sua potência ganhava vida com um sonoro rugido.

Embrenhando-se cada vez mais nas profundezas daquele lugar místico, suas reflexões sobre o passado foram rapidamente interrompidas pelas deslumbrantes impressões que apareciam a cada momento. Foi enquanto ele se deleitava com a dádiva da inteligência da natureza que aconteceu algo espantoso.

De rabo de olho, ele avistou logo à frente um vulto vestido de maneira meio estranha, com um robe vermelho esvoaçante e um capuz azul-marinho. Julian ficou espantado de avistar alguém num local tão remoto. Afinal, foram sete dias de perigo para chegar até lá. Como ele estava a muitos quilômetros de qualquer civilização e nem sequer tinha certeza se encontraria o caminho final para Sivana, ele gritou para o outro viajante.

O vulto recusou-se a lhe responder e acelerou o passo pelo caminho que os dois subiam, não concedendo a Julian sequer a gentileza de um olhar para trás em reconhecimento de sua presença. Logo o misterioso viajante se pôs a correr, com o robe vermelho dançando graciosamente atrás dele como lençóis recém-lavados secando num varal em um vendaval de outono.

— Por favor, amigo, preciso de sua ajuda para encontrar Sivana — gritou Julian. — Estou viajando há sete dias com pouca água e quase nenhuma comida. Acho que estou perdido!

O vulto parou abruptamente. Julian se aproximou com cuidado, enquanto o viajante permanecia incrivelmente quieto e silencioso. Sua cabeça não se mexia, suas mãos ficaram imóveis e os pés não saíram do lugar. Julian não pôde ver o rosto dele por baixo do capuz, mas o conteúdo de uma cestinha nas mãos do viajante chamou sua atenção. Dentro do cesto havia uma coleção das flores mais belas e delicadas que Julian vira em toda a sua vida. O vulto segurou a cesta com mais força enquanto Julian se aproximava, demonstrando seu amor pelas queridas posses, bem como uma desconfiança daquele ocidental alto — tão comum naquelas bandas quanto uma gota de orvalho no deserto.

Julian estudou o viajante com uma imensa curiosidade. Um breve raio de sol revelou o rosto de um homem debaixo do largo capuz. Mas Julian nunca tinha visto um homem como aquele. Apesar de ter no mínimo a sua idade, tinha feições tão marcantes que deixou Julian impressionado e o levaram simplesmente a parar e fitá-lo pelo que pareceu uma eternidade. Os olhos dele se pareciam com os de um gato, tão penetrantes que Julian se viu obrigado a olhar para o lado. Sua pele morena era viçosa e macia. Seu corpo parecia forte e vigoroso. E, embora as mãos do homem revelassem que não era jovem, ele irradiava tamanha abundância de juventude e vitalidade que Julian ficou hipnotizado pelo que estava vendo diante de si, igual a uma criança vendo um show de mágica pela primeira vez.

"Esse deve ser um dos Grandes Sábios de Sivana", pensou Julian, mal conseguindo disfarçar a alegria.

— Oi, meu nome é Julian Mantle. Eu vim aprender com os Sábios de Sivana. O senhor sabe onde posso encontrá-los?

O homem olhou pensativo para aquele estrangeiro cansado, vindo do Ocidente. Sua paz e serenidade lhe concediam uma natureza angelical, iluminada.

O homem falou baixinho, quase um sussurro:

— E por que você procura esses sábios, amigo?

Sentindo que realmente tinha encontrado um dos monges míticos, algo que para tantos outros antes dele fora impossível, Julian abriu seu coração e relatou sua odisseia. Contou sua vida pregressa e a crise espiritual com a qual ele havia se debatido, como trocara sua saúde e energia pelas breves recompensas que a profissão lhe permitia. Falou de como havia trocado a riqueza de sua alma por uma renda avantajada e a gratificação ilusória de um estilo de vida acelerado e fugaz. E contou-lhe também de suas viagens pela Índia mística, seu encontro com o iogue Krishnan, que também fora um advogado de litígio de Nova Déli que abrira mão de sua antiga vida, na esperança de encontrar a harmonia interior e a paz duradoura.

O viajante continuou parado e em silêncio. Foi apenas quando Julian falou de seu desejo ardente, e quase obsessivo, de conhecer os princípios antigos de uma vida iluminada que o homem voltou a falar. Passando um braço pelo ombro de Julian, o homem falou, suavemente:

— Se você realmente tem um desejo, do fundo do seu coração, de aprender a sabedoria de um caminho melhor, então é meu dever ajudar. Eu sou, realmente, um desses sábios pelos quais você precisou andar tanto tempo para encontrar. Você é a primeira pessoa a nos encontrar em muitos anos. Meus parabéns. Eu admiro a sua tenacidade. Deve ter sido mesmo um advogado muito bom.

Fez uma pausa, como se não tivesse certeza do próximo passo, e aí continuou.

— Se quiser, pode vir comigo ao nosso templo, como meu convidado. Ele fica numa parte escondida desta região montanhosa, ainda a várias horas deste lugar onde nós estamos. Meus irmãos e minhas irmãs vão lhe dar as boas-vindas de braços abertos. Vamos trabalhar juntos para lhe ensinar os princípios antigos e as estratégias que os nossos antepassados nos ensinaram através dos séculos.

"Mas antes que eu lhe leve para o nosso mundo particular e divida com você o conhecimento coletivo capaz de lhe proporcionar mais alegria, força e propósito, eu preciso pedir que você aceite fazer uma promessa", disse o sábio. "Depois que aprender essas verdades atemporais, você terá que voltar à sua pátria no Ocidente e compartilhar esses ensinamentos com todo mundo que precisar ouvi-los. Embora isolados nestas montanhas mágicas, estamos cientes da confusão em que se encontra o seu mundo. Pessoas de bem estão desorientadas. Você precisa dar-lhes a esperança que elas merecem. E, o que é ainda mais importante, você precisa dar a elas as ferramentas para realizar seus sonhos. Esse é meu único pedido."

Julian aceitou as condições do sábio na mesma hora e prometeu que levaria sua preciosa mensagem para o Ocidente. Enquanto os dois subiam ainda mais em direção à aldeia perdida de Sivana, o sol da Índia começou a se pôr, um círculo vermelho de fogo descendo num leito mágico e suave depois de um dia longo e extenuante. Julian me contou que nunca se esqueceu da majestade daquele momento, caminhando com um monge indiano por quem ele, de alguma maneira, sentia um amor fraterno, viajando para um lugar que ele sonhara encontrar, com todas as suas maravilhas e seus muitos mistérios.

— Com certeza esse foi o momento mais memorável da minha vida — confidenciou Julian para mim.

Ele sempre acreditara que a vida se resumia a uns poucos momentos-chave. Esse era um deles. Dentro da alma, Julian de alguma maneira intuíra que aquele era o primeiro momento do resto da sua vida, uma vida que estava prestes a se tornar muito maior do que jamais havia sido.

UM ENCONTRO MÁGICO COM OS SÁBIOS DE SIVANA

4

DEPOIS DE ANDAR por muitas horas por um emaranhado de caminhos e trilhas cobertas de mato, os dois viajantes chegaram a um vale verde e exuberante. De um lado, a cordilheira do Himalaia, com seus picos cobertos de neve, oferecia proteção, como soldados experientes montando guarda no lugar onde os generais descansavam. Do outro, se erguia uma densa floresta de pinheiros, uma homenagem perfeitamente natural a essa encantadora terra da fantasia.

O sábio olhou para Julian e sorriu, gentilmente.

— Bem-vindo ao Nirvana de Sivana.

Os dois homens então desceram por um caminho menos usado e entraram na densa floresta que formava a base do vale. A fragrância de pinheiros e sândalo perpassava o ar fresco e seco da montanha. Julian, que agora estava descalço para dar um descanso aos pés doloridos, sentiu o musgo úmido sob os pés. Estava surpreso de ver orquídeas ricamente coloridas e uma variedade de flores belíssimas dançando em meio às árvores, como que regozijando na beleza e no esplendor desse pequeno cantinho paradisíaco.

A distância, Julian pôde ouvir vozes baixas e suaves, que acalmavam os ouvidos. Continuou atrás do sábio sem fazer barulho. Depois de caminhar por mais uns 15 minutos, os dois chegaram a uma clareira. À frente apareceu uma imagem que até o experiente Julian Mantle, que raramente se surpreendia, não poderia nunca ter imaginado: uma pequena aldeia feita exclusivamente daquilo que pareciam ser rosas. No centro da aldeia havia um pequeno templo, do tipo que Julian havia visto em suas viagens à Tailândia e ao Nepal, mas esse era feito de flores vermelhas, brancas e cor-de-rosa, amarradas por longas cordas multicoloridas e galhos. As cabaninhas que pontilhavam o espaço remanescente deviam ser as casas austeras dos sábios. Elas também eram feitas de rosas. Julian ficou sem palavras.

Quanto aos monges que habitavam a aldeia, Julian pôde ver que se pareciam com seu companheiro de viagem, que então revelou seu nome, iogue Raman. Explicou que era o mais velho dos sábios de Sivana e o líder daquela comunidade. Os cidadãos daquela colônia dos sonhos pareciam incrivelmente joviais e se moviam com equilíbrio e propósito. Nenhum deles falava, preferindo respeitar a tranquilidade do lugar e cumprir suas tarefas em silêncio.

Os homens, que aparentavam ser apenas dez, usavam a mesma vestimenta do iogue Raman e sorriram serenamente para Julian quando ele entrou na aldeia. Todos pareciam calmos, saudáveis e profundamente contentes. Era como se as tensões, que são uma praga para tantos de nós no mundo moderno, tivessem percebido que não eram bem-vindas naquela cúpula de serenidade e se mudado para lugares mais convidativos. Embora já tivessem se passado vários anos desde a última vez que viram um rosto novo entre eles, esses homens eram contidos na hora de recebê-lo, oferecendo um simples cumprimento de cabeça ao visitante que viera de tão longe para conhecê-los.

As mulheres eram igualmente impressionantes. Com seus longos sáris cor-de-rosa e flores de lótus brancas ornamentando os cabelos negros, moviam-se ocupadas pela aldeia com uma agilidade incrível. Entretanto, não se tratava da ocupação frenética que permeia a vida das pessoas na nossa sociedade. Pelo contrário, a agilidade delas tinha um aspecto simples e gracioso. Com uma concentração zen, algumas trabalhavam no interior do templo, preparando o que parecia ser um festival. Outras carregavam lenha para a fogueira e tapeçarias ricamente ornamentadas. Todas se ocupavam de alguma atividade produtiva. E todas pareciam felizes.

No fundo, as fisionomias dos Sábios de Sivana revelavam o poder de seu modo de vida. Muito embora fossem claramente adultos maduros, todos irradiavam uma qualidade infantil, os olhos faiscando com a vitalidade da juventude. Nenhum deles tinha rugas. Nenhum tinha cabelos brancos. Nenhum aparentava ser velho.

Julian, que mal podia acreditar no que estava vivenciando, recebeu um banquete de frutas frescas e verduras exóticas, uma alimentação que mais tarde ele aprenderia ser uma das chaves do tesouro da saúde ideal que os sábios desfrutavam. Depois da refeição, o iogue Raman acompanhou Julian até sua residência: uma cabana cheia de flores contendo uma pequena cama e, sobre ela, um pequeno caderno, que serviria de diário. Aquele seria o seu lar no futuro próximo.

Embora Julian nunca tivesse visto nada igual àquele mundo mágico de Sivana, de alguma maneira teve a sensação de estar voltando para casa, um retorno a um paraíso que conhecera havia muitos anos. Por alguma razão, a aldeia de rosas não era assim tão estranha para ele. Sua intuição lhe dizia que aquele era o seu lugar, mesmo que fosse somente por um breve período. Aquele seria o lugar onde ele reacenderia a chama da vida que experimentara antes de ter sua alma roubada pelo exercício da profissão; um santuário onde seu espírito partido, aos poucos, começaria a sarar. Começou, então, a vivência de Julian entre os Sábios de Sivana — uma vida de simplicidade, serenidade e harmonia. O melhor estava prestes a chegar.

UM ALUNO ESPIRITUAL DOS SÁBIOS

5

Os sonhos dos grandes sonhadores nunca são realizados. São sempre transcendidos.

Alfred Lord Whitehead

JÁ ERAM OITO horas da noite e eu ainda tinha que me preparar para a audiência no tribunal no dia seguinte. Contudo, estava fascinado pela experiência desse ex-guerreiro da advocacia que tão dramaticamente havia transformado a sua vida depois de conhecer e estudar com esses maravilhosos sábios da Índia. Impressionante, pensei, e que transformação extraordinária! Secretamente eu me perguntei se os tais segredos que Julian aprendera naquele refúgio nas montanhas também poderiam elevar a minha qualidade de vida e reabastecer meu próprio sentimento de deslumbramento com o mundo em que vivíamos. Quanto mais o ouvia, mais eu percebia que o meu espírito ficara meio enferrujado. O que havia acontecido com aquela paixão incomum que eu levava para tudo o que fazia quando era mais jovem? Naquela época, até as coisas mais simples me enchiam de um sentimento de alegria. Talvez estivesse na hora de reinventar o meu destino.

Sentindo o meu fascínio com a sua odisseia e a minha ansiedade em aprender o sistema para uma vida iluminada que os sábios lhe haviam transmitido, Julian apressou o passo enquanto continuava a contar sua história. Falou-me de como o seu desejo de conhecimento, aliado ao seu arguto intelecto — aprimorado ao longo de vários anos de batalha nos tribunais —, fez dele um querido membro da comunidade de Sivana. Como uma marca de sua afeição por Julian, os monges acabaram transformando-o em membro honorário de seu grupo e o trataram como parte integrante daquela família.

Ansioso para aumentar seu conhecimento das engrenagens da mente, do corpo e da alma e para atingir o domínio sobre si mesmo, Julian passava literalmente todos os momentos em que estava acordado sob a tutela do iogue Raman. O sábio se transformou mais num pai do que num professor para Julian, embora parecesse que apenas alguns anos de idade os separassem. Estava claro que aquele homem havia acumulado a sabedoria de muitas vidas e, com a maior felicidade, estava disposto a compartilhá-la com Julian.

Começando antes de o sol raiar, o iogue Raman se sentava com seu entusiasmado aluno e enchia-lhe a cabeça com insights sobre o sentido da vida e técnicas pouco conhecidas que ele dominara para viver com mais vitalidade, criatividade e autor-realização. Ensinou a Julian os princípios antigos com os quais, segundo ele, qualquer um poderia viver por mais tempo, manter-se mais jovem e ser mais feliz. Julian também aprendeu que as disciplinas do domínio e da responsabilidade pessoal, que eram dois lados da mesma moeda, evitariam que ele voltasse à crise caótica que caracterizara a sua vida no Ocidente. À medida que as semanas se transformavam em meses, ele passou a compreender que o potencial adormecido em sua mente era um tesouro oculto pronto para ser despertado e utilizado para os propósitos mais elevados. Às vezes, aluno e professor ficavam apenas sentados, vendo o escaldante sol da Índia se levantar sobre os verdes campos lá embaixo. Às vezes, se deitavam e meditavam, saboreando as bênçãos que o silêncio traz. Outras, ficavam conversando no meio da floresta de pinheiros, debatendo questões de filosofia e curtindo o prazer da companhia um do outro.

Julian disse que os primeiros indícios de sua expansão pessoal vieram depois de passar apenas três semanas em Sivana. Ele começou a perceber a beleza nas coisas mais ordinárias. Fosse a maravilha de uma noite estrelada ou o encantamento de uma teia de aranha depois de chover, Julian absorvia tudo. Ele também falou que o seu novo estilo de vida e os novos hábitos a ele associados começaram a exercer um efeito profundo em seu mundo interior. Um mês depois de aplicar os princípios e as técnicas dos sábios, começara a cultivar um profundo sentimento de paz e serenidade interior que nunca havia experimentado durante todos os anos em que vivera no Ocidente. Passou a ser mais alegre e espontâneo, tornando-se mais enérgico e criativo a cada dia.

A vitalidade física e a força espiritual sucederam as mudanças no comportamento de Julian. Seu corpo, que antes sofria com o excesso de peso, passou a ser forte e enxuto, e a palidez doentia que outrora caracterizara o seu rosto fora substituída por um brilho saudável e exuberante. Ele realmente se sentia capaz de fazer qualquer coisa, ser qualquer coisa e desvendar o potencial infinito que aprendera estar dentro de todos nós. Passou a amar a vida e a enxergar o divino em todos os seus aspectos. O sistema milenar desse grupo de monges místicos começara a revelar seus milagres.

Julian fez uma pausa, como se ele mesmo não acreditasse na própria história, e depois começou a filosofar.

— Eu percebi uma coisa muito importante, John. O mundo, e isso inclui o meu mundo interior, é um lugar muito especial. Percebi que o sucesso exterior não significa nada, a não ser que você tenha sucesso por dentro. Existe uma enorme diferença entre estar bem e parecer bem. Quando eu era um advogado bambambá, costumava desdenhar de todas aquelas pessoas que procuravam melhorar a vida interior e a exterior. Eu pensava: "Fala sério!" Mas descobri que o domínio sobre si mesmo e o cuidado consistente com a mente, o corpo e a alma são essenciais para se atingir o seu potencial mais elevado e viver a vida dos seus sonhos. Como é que você pode se preocupar com os outros, se não se preocupa sequer consigo mesmo? Como é que você pode fazer o bem, se nem sequer se sente bem? Eu não posso amar você, se não consigo amar a mim mesmo.

De repente, Julian ficou agitado e um tanto desconfortável.

— Eu nunca abri o meu coração para alguém dessa maneira. Me desculpa, John. É que eu experimentei uma catarse tão grande lá nas montanhas, um despertar espiritual tão forte sobre os poderes do universo, que sinto que outras pessoas têm que saber o que sei.

Percebendo que estava ficando tarde, Julian logo me disse que iria embora e se despediu.

— Mas você não pode ir embora assim, Julian. Eu estou completamente empolgado para ouvir a sabedoria que você aprendeu no Himalaia e a tal mensagem que prometeu trazer para o Ocidente. Agora você não pode me deixar nesse suspense. Você sabe que eu não aguento!

— Eu vou voltar. Pode ficar tranquilo, meu amigo. Você me conhece. Depois que eu começo a contar uma boa história, simplesmente não consigo parar. Mas você ainda tem que trabalhar e eu tenho que tratar de alguns assuntos pessoais.

— Então só me diz uma coisa. Os métodos que você aprendeu em Sivana funcionariam para mim?

A resposta veio rápida:

— Quando o aluno está pronto, o professor aparece. Você, assim como tantas outras pessoas na nossa sociedade, está pronto para a sabedoria que eu tenho o privilégio de deter. Cada um de nós deveria conhecer a filosofia desses sábios. Cada um de nós pode se beneficiar dela. Eu prometo que vou compartilhar esse conhecimento milenar com você. Tenha paciência. Eu vou te encontrar de novo amanhã à noite, nessa mesma hora, na sua casa. Aí, vou contar tudo o que você precisa saber para injetar mais ânimo à sua vida. Te parece justo?

— Tá. Eu acho que, se eu consegui viver sem isso por todos esses anos, não vou morrer se tiver que esperar mais umas 24 horas — respondi, decepcionado.

E, com isso, o superadvogado dos tribunais, transformado em iogue iluminado do Oriente, se foi, deixando-me com a cabeça cheia de perguntas sem respostas e pensamentos inconclusos.

Enquanto eu ficava sentado e silencioso em minha sala, percebi o quanto o nosso mundo na verdade era pequeno. Fiquei pensando no vasto manancial de conhecimento que eu ainda nem sequer começara a explorar. Pensei em como seria bom reconquistar a velha vontade de viver e a curiosidade que eu tinha quando era mais jovem. Adoraria me sentir mais vivo e deixar a energia correr mais solta nos meus dias. Quem sabe eu também não abandonasse o direito? Quem sabe eu não tivesse também uma vocação mais elevada? Com essas considerações portentosas na mente, apaguei as luzes, tranquei a porta da minha sala e saí para o calor opressivo de mais uma noite de verão.

A SABEDORIA DA TRANSFORMAÇÃO PESSOAL

6

Eu sou um artista em relação a viver — a minha obra de arte é a minha vida.

Suzuki

CUMPRINDO O QUE prometeu, Julian foi me visitar na noite seguinte. Às 19h15, ouvi quatro batidas rápidas na porta da frente de minha casa, uma construção simples, de um andar, com cortinas cor-de-rosa horrorosas que, segundo minha esposa, faziam o nosso lar ficar com cara de "casa de revista". O próprio Julian parecia totalmente diferente do dia anterior. Ele ainda refletia uma saúde radiante e exalava uma incrível sensação de tranquilidade. Mas o que ele estava vestindo me causou certo desconforto.

Um robe vermelho comprido acompanhado de um capuz azul ricamente bordado adornava sua figura delgada. E, embora aquela fosse mais uma densa noite de verão, o capuz estava cobrindo a sua cabeça.

— Saudações, amigo — disse Julian, entusiasmado.
— Saudações.

— Não precisa ficar com essa cara de espanto. Você queria que eu vestisse o quê? Um Armani?

Começamos a rir, de leve, no início. Mas logo as risadas se transformaram em gargalhadas. Julian certamente não havia perdido o senso de humor mordaz que tanto me divertiu no passado.

Enquanto relaxávamos na minha sala abarrotada, mas confortável, eu não pude deixar de perceber o elaborado colar de contas para oração pendurado em seu pescoço.

— O que é isso? É muito bonito.

— Depois eu falo — disse ele, esfregando alguns botões com o polegar e o dedo indicador. — Nós temos muito o que conversar esta noite.

— Vamos começar. Mal consegui trabalhar hoje, de tão animado que estava sobre este nosso encontro.

Agarrando essa deixa, Julian se pôs a revelar mais sobre a sua transformação pessoal e a facilidade com que ela se realizou. Contou-me das técnicas antigas para controlar a mente e eliminar a tendência de se preocupar, que é tão desgastante para quem vive numa sociedade tão complexa quanto a nossa. Falou da sabedoria compartilhada pelo iogue Raman e pelos outros monges para viver uma vida com mais propósito, mais gratificante. E falou de uma série de métodos para desbloquear a fonte da juventude e energia que, segundo ele, está latente em todos nós.

Apesar da nítida convicção com que ele falava, comecei a ficar cético. Será que eu estava sendo vítima de alguma cascata? Afinal de contas, esse advogado formado por Harvard um dia fora amplamente conhecido dentro do escritório pelas peças e pegadinhas que pregava nas pessoas. Além disso, sua história não era nada menos que fantástica. Imagina isso: um dos advogados mais famosos do país joga a toalha, vende todos os seus bens materiais e parte para uma odisseia espiritual na Índia, e volta interpretando um sábio profeta do Himalaia. Não podia ser verdade.

— Vamos lá, Julian. Para de me sacanear. Essa história toda está começando a parecer uma daquelas nossas pegadinhas. Eu aposto que você alugou esse robe naquela loja de fantasias do outro lado da rua do escritório — sugeri, exibindo o meu melhor sorriso.

Julian foi rápido na resposta, como se a minha incredulidade fosse algo que ele já esperava.

— Num tribunal, como é que você prova o seu ponto de vista?

— Com provas convincentes.

— Muito bem. Pois olha só para as provas que eu estou te oferecendo. Olha para o meu rosto liso e sem rugas. Olha para o meu corpo. Você não consegue sentir a abundância de energia que eu tenho agora? Olha só a minha serenidade. É evidente que mudei.

Ele tinha razão. Esse era um homem que, havia poucos anos, parecia décadas mais velho.

— Você não fez plástica, fez?

Ele sorriu.

— Não. Elas só põem o foco no exterior da pessoa. Eu precisava ser curado por dentro. O meu estilo de vida caótico e desequilibrado me deixou muito abalado. O que eu sofri foi muito mais do que um ataque cardíaco. Foi uma ruptura do meu núcleo interior.

— Mas a sua história é... tão misteriosa e incomum.

Julian permaneceu calmo e paciente diante da minha insistência. Olhando para o bule de chá que eu tinha deixado na mesa a seu lado, ele começou a colocar seu conteúdo na xícara vazia. Despejou até a xícara ficar cheia — e aí continuou despejando! O chá começou a cair no pires, entornando pelo lado da xícara, e então foi cair em cima do precioso tapete persa da minha mulher. No começo, fiquei só observando. Mas logo não aguentei.

— Julian, o que você está fazendo? A xícara está transbordando. Não interessa o quanto você tentar, não vai caber mais! — gritei, impaciente.

Ele me olhou por bastante tempo.

— Por favor, não me entenda mal. Eu realmente respeito você, John. Sempre respeitei. No entanto, assim como essa xícara, você parece estar repleto das suas próprias ideias. E como é que alguma coisa nova pode entrar... *se você não esvaziar a xícara primeiro?*

Fiquei espantado com a verdade daquelas palavras. Ele tinha razão. Os muitos anos que eu passei no conservador mundo jurídico, fazendo as mesmas coisas todo dia com as mesmas pessoas que pensavam as mesmas coisas dia após dia, haviam enchido a minha xícara até a borda. Jenny, minha mulher, estava sempre me dizendo que nós devíamos conhecer gente nova e experimentar coisas novas. "Queria tanto que você fosse mais aventureiro, John", dizia Jenny.

Eu não conseguia me lembrar da última vez que eu lera um livro que não tivesse a ver com Direito. Minha profissão era a minha vida. Comecei a me dar conta de que o mundo estéril com o qual eu havia me acostumado tinha ofuscado a minha criatividade e limitado a minha visão.

— Tudo bem, eu já entendi — confessei. — Talvez todos esses anos como advogado tenham me transformado num cético empedernido. Mas ontem, na hora que eu vi você na minha sala, algo em meu âmago me disse que a sua transformação era autêntica e que nela havia algum tipo de lição para mim. Talvez eu simplesmente não estivesse disposto a acreditar.

— John, essa é a primeira noite da sua nova vida. Eu só vou pedir que você reflita profundamente sobre a sabedoria e as estratégias que vou compartilhar com você e as utilize com a maior convicção pelo período de um mês. Abrace essa metodologia confiando profundamente em sua eficácia. Existe uma razão pela qual sobreviveu por milhares de anos. É porque funciona.

— Um mês me parece muito tempo.

— São 672 horas de trabalho interior para melhorar profundamente todos os momentos que você passar acordado pelo resto da sua vida. Parece um preço bem pequeno, não parece?

Investir em você mesmo é o melhor investimento que você pode fazer na vida. Você verá que, além de melhorar a sua qualidade de vida, vai melhorar a vida das pessoas que estão à sua volta.

— Como assim?

— Somente quando tiver dominado a arte de amar a si mesmo é que você vai ser capaz de realmente amar os outros. É somente quando abrir o seu coração que você vai poder tocar o coração das outras pessoas. Quando você se sente vivo e centrado, fica numa posição muito melhor para se tornar uma pessoa melhor.

— E o que eu posso esperar dessas 672 horas? O que acontecerá em um mês? — perguntei, sinceramente.

— Você vai passar por mudanças nas engrenagens da sua mente, do seu corpo e até da sua alma que vão deixá-lo impressionado. Você vai ter mais energia, entusiasmo e harmonia interior do que talvez tenha tido na vida inteira. As pessoas vão parar para dizer que você está com uma aparência mais jovem e mais feliz. Uma sensação duradoura de equilíbrio e bem-estar vai rapidamente voltar à sua vida. Esses são apenas alguns dos benefícios do Sistema Sivana.

— Uau.

— Tudo o que você ouvir esta noite foi desenvolvido para melhorar a sua vida, não só pessoal e profissionalmente, mas também espiritualmente. O conselho dos sábios é tão atual hoje como era há 5 mil anos. Ele não só vai enriquecer o seu mundo interior, como também vai melhorar o seu mundo exterior e torná-lo muito mais eficiente em tudo o que você fizer. Esses ensinamentos são, realmente, a força mais potente que eu já vi na vida. Eles são diretos, práticos e foram testados no laboratório da vida por vários séculos. O mais importante é que eles funcionam para qualquer pessoa. Mas antes de eu compartilhar esse conhecimento com você, preciso que me prometa uma coisa.

Eu sabia que alguma coisa tinha que vir no pacote. Minha querida mãe costumava dizer que "não há nada de graça nesta vida".

— Depois que você presenciar o poder dessas técnicas e estratégias que me foram mostradas pelos Sábios de Sivana e observar os resultados radicais que elas trarão à sua vida, você precisa assumir a missão de passar esse conhecimento para outras pessoas que vão se beneficiar dele. Isso é tudo o que eu vou pedir. Se concordar em fazer isso, você vai me ajudar a cumprir o pacto que eu fiz com o iogue Raman.

Aceitei sem reservas, e Julian começou a me ensinar o sistema que ele agora considerava sagrado. Enquanto as técnicas que Julian tinha dominado na sua estada eram várias, no coração do Sistema Sivana havia sete virtudes básicas, sete princípios fundamentais que incorporavam as chaves para a autoliderança, a responsabilidade pessoal e a iluminação espiritual.

Julian me contou que o iogue Raman foi o primeiro a compartilhar com ele as sete virtudes, depois de alguns meses passados em Sivana. Numa noite clara, quando todos os outros já haviam se recolhido, Raman bateu suavemente na porta da cabana de Julian. Com a voz de um guia gentil, ele falou diretamente:

— Eu já pude observar você de perto por muitos dias, Julian. Acredito que você seja um homem decente, que deseja profundamente preencher a vida com tudo o que há de bom neste mundo. Desde que chegou aqui, você se abriu para as nossas tradições e abraçou-as como se fossem suas. Aprendeu uma série de hábitos diários e testemunhou seus muitos efeitos benéficos. Você respeitou a nossa maneira de viver. O nosso povo manteve essa vida simples e pacífica através de inúmeros séculos e os nossos métodos só são conhecidos por poucas pessoas. O mundo precisa ouvir a nossa filosofia para uma vida iluminada. Esta noite, na véspera de completar o seu terceiro mês em Sivana, eu vou começar a compartilhar com você as engrenagens internas do nosso sistema, não só para o seu bem, mas para o de todas as pessoas que moram na sua parte do mundo. Eu vou me sentar diariamente com você, da mesma maneira como me sentei com o meu filho quando ele era uma criança. Infelizmente, ele faleceu há alguns anos. A hora dele chegou e eu não questiono a sua partida. Eu aproveitei o período que passamos juntos e guardo com carinho as minhas memórias. Agora, enxergo você como um filho e me sinto grato porque tudo o que eu aprendi através de muitos anos de contemplação silenciosa vai passar a viver dentro de você.

Olhei para Julian e percebi que seus olhos agora estavam fechados, como se ele estivesse se transportando para aquela terra de contos de fada que o havia banhado com as bênçãos do conhecimento.

— O iogue Raman me contou que havia sete virtudes para uma vida transbordante de paz interior, alegria e riqueza de bens espirituais, e todas elas estavam reunidas numa fábula mística. Essa fábula era a essência de tudo. Ele me pediu para fechar os olhos, como eu fiz agora, aqui no chão da sua sala. Ele então me pediu para mentalizar a seguinte cena:

Você está sentado no meio de um jardim verde, magnífico e exuberante. Esse jardim tem as flores mais espetaculares que você já viu na vida. O ambiente é extremamente tranquilo e silencioso. Saboreie as delícias sensoriais desse jardim e sinta como se você tivesse todo o tempo do mundo para aproveitar esse oásis natural. Quando você olha em volta, percebe que no centro desse jardim mágico há um farol vermelho e portentoso, equivalente a um prédio de seis andares. De repente, o silêncio do jardim é perturbado por um rangido alto, quando a porta ao pé do farol é aberta. De lá sai um lutador de sumô de 3 metros de altura e 400 quilos, que passeia casualmente pelo meio do jardim.

Julian riu.

— Você não ouviu o melhor: o lutador japonês está praticamente nu. Tem um cabo de fios cor-de-rosa cobrindo suas partes íntimas.

Enquanto esse lutador de sumô passeia pelo jardim, ele encontra um reluzente cronômetro de ouro que alguém esqueceu ali há muitos anos. Ele põe o relógio no pulso e cai no chão com um baque ensurdecedor. O lutador de sumô fica inconsciente e continua deitado, imóvel e sem fazer barulho. Exatamente quando você acha que ele deu o último suspiro, ele acorda, talvez movido pela fragrância das rosas amarelas que desabrocharam ao seu redor. Energizado, o lutador se põe de pé rapidamente e, intuitivamente, olha para a esquerda. Fica espantado com o que vê. Depois dos arbustos que permeiam o jardim, ele vê uma longa e sinuosa trilha coberta por milhões de diamantes brilhantes. Algo parece instruir o lutador a pegar esse caminho e, verdade seja dita, é isso o que ele faz. O caminho o leva a uma estrada de alegria inexaurível e exultação eterna.

Depois de ouvir essa estranha história, no alto do Himalaia, ao lado de um monge que vira em primeira mão a tocha da iluminação, Julian ficou decepcionado. Muito simplesmente, ele achava que ia ouvir algo de abalar os alicerces da terra, um conhecimento que iria colocá-lo em ação, talvez até levar-lhe às lágrimas. Mas, ao contrário, tudo o que ele ouviu foi uma história boba sobre um lutador de sumô e um farol.

O iogue Raman percebeu sua tristeza.

— Nunca menospreze o poder da simplicidade — ele lhe disse. — Essa história pode não ser o discurso sofisticado que você esperava, mas há um mundo de sensibilidade e pureza de propósito nessa mensagem. Desde o dia em que você chegou, pensei muito em como eu deveria compartilhar o nosso conhecimento com você. Primeiro, pensei em dar uma série de palestras pelo período de alguns meses, mas percebi que essa abordagem tradicional não condizia com a natureza mágica da sabedoria que você está para receber. Aí pensei em pedir a todos os meus irmãos e minhas irmãs que passassem um pouco de tempo com você, diariamente, ensinando-lhe a nossa filosofia. No entanto, essa também não seria a maneira mais eficaz de você aprender o que nós temos para falar. Depois de muita reflexão, finalmente cheguei àquilo que achei ser um jeito muito criativo, e ao mesmo tempo muito eficiente, de compartilhar todo o sistema de Sivana e suas sete virtudes — e foi essa fábula mística.

O sábio ainda acrescentou:

— A princípio, ela pode parecer frívola e talvez até infantil. Mas eu asseguro que cada elemento dessa fábula incorpora um princípio milenar para levar uma vida radiante, e cada elemento tem um significado muito profundo. O jardim, o farol, o lutador de sumô, o cabo de fios cor-de-rosa, o cronômetro, as rosas e o caminho sinuoso de diamantes são símbolos das sete virtudes atemporais de uma vida iluminada. Eu posso assegurar que, se você se lembrar dessa história e das verdades fundamentais que ela representa, vai guardar dentro de si tudo o que precisa saber para levar a sua vida a um patamar mais elevado. Você vai dispor de toda a informação e de todas as estratégias necessárias para influenciar profundamente a qualidade da sua vida e da vida das pessoas que tocar. E, quando aplicar esse conhecimento a seu cotidiano, você irá mudar — emocional, física e espiritualmente. Por favor, grave essa história nas profundezas da sua mente e leve-a no seu coração. Ela só vai fazer diferença se você incorporá-la sem reservas.

— Felizmente, John, eu a incorporei. Carl Jung certa vez disse que "a sua visão só vai ficar nítida quando você olhar com o coração. Quem olha para fora sonha; quem olha para dentro desperta". Naquela noite muito especial, eu olhei no fundo do meu coração e acordei para os segredos que atravessaram os séculos para enriquecer a mente, cultivar o corpo e alimentar a alma. E agora é a minha vez de compartilhá-los com você.

7
UM JARDIM EXTRAORDINÁRIO

A maioria das pessoas vive — física, intelectual ou moralmente — num círculo muito restrito do seu potencial. Todos nós temos reservas de vida para utilizar, com as quais nós nem sonhamos.

William James

— NA FÁBULA, O jardim simboliza a mente — disse Julian. — Se você tomar conta da sua mente, se alimentá-la, se cultivá-la como um jardim fértil e rico, ela vai gerar frutos muito maiores que as suas expectativas. Mas, se você deixar as ervas daninhas invadirem o espaço, a paz de espírito permanente e a harmonia interior sempre lhe escaparão.

"John, deixa eu te fazer uma pergunta simples. Se eu fosse até os fundos da casa, onde você tem aquele jardim sobre o qual já me contou tantas vezes, e atirasse lixo tóxico em cima das suas queridas petúnias, você não ficaria nem um pouco feliz, ficaria?"

— Claro que não.

— Na verdade, a maioria dos bons jardineiros toma conta dos jardins como soldados orgulhosos e se assegura de que nenhuma fonte de contaminação algum dia vá entrar ali. No entanto, olha só o lixo tóxico que a maioria das pessoas despeja no jardim fértil que é a própria mente, todo santo dia: ansiedades e preocupações, lamúrias do passado, pessimismo quanto ao futuro e todos esses medos inventados que geram um pandemônio no mundo interior. No idioma dos Sábios de Sivana, que existe há milhares de anos, o caractere que representa a palavra "preocupação" é incrivelmente parecido com aquele que simboliza uma pira funerária. O iogue Raman me disse que isso não era mera coincidência. As preocupações sugam boa parte do poder da mente e, mais cedo ou mais tarde, maculam a alma.

"Para viver a vida ao máximo, você precisa ficar de vigia na porta de entrada do seu jardim e só deixar passar as melhores informações. Você realmente não pode se dar ao luxo de um único pensamento negativo — nem um sequer. As pessoas mais alegres, dinâmicas e contentes deste mundo não são diferentes de mim ou de você em termos de constituição. Todos nós somos feitos de carne e osso. Todos nós viemos da mesma fonte universal. Porém, aquelas que fazem algo mais do que existir, aquelas que atiçam o fogo do potencial humano e realmente saboreiam a dança mágica da vida, fazem as coisas de maneira diferente das que levam vidas ordinárias. A principal coisa que elas fazem é adotar um paradigma positivo sobre o mundo e tudo o que existe nele."

Julian prosseguiu:

— Os sábios me ensinaram que, num dia comum, cerca de 60 mil pensamentos passam pela cabeça de uma pessoa normal. Porém, o que realmente me surpreendeu foi que 95% desses pensamentos são os mesmos que você teve no dia anterior!

— É sério?

— Seríssimo. É a tirania dos pensamentos empobrecidos. As pessoas que têm os mesmos pensamentos todos os dias, cuja maior parte é negativa, caíram em maus hábitos mentais. Em vez de se concentrarem em tudo de bom que existe em suas vidas e em maneiras de tornar as coisas ainda melhores, são prisioneiras do passado. Algumas se preocupam com relacionamentos que deram errado ou com problemas financeiros. Outras remoem a infância imperfeita que tiveram. E outras ainda se preocupam com assuntos banais: como uma atendente de loja as tratou, ou um comentário aparentemente maldoso feito por um colega de trabalho. Os que fazem a cabeça funcionar desse jeito estão permitindo que as preocupações esgotem a sua força vital. Estão bloqueando o enorme potencial que as suas mentes têm de fazer mágica e entregar às suas vidas tudo o que elas precisam, no nível emocional, físico e, sim, até espiritual. Essas pessoas nunca percebem que a administração da mente é a essência da administração da vida.

"A maneira como você pensa vem, pura e simplesmente, dos seus hábitos", continuou ele, com convicção. "A maioria das pessoas não tem noção do enorme poder de suas mentes. Eu aprendi que até os pensadores mais preparados usam apenas um centésimo de 1% das próprias reservas mentais. Em Sivana, os sábios se atreveram a explorar regularmente o potencial não utilizado da capacidade mental. Os resultados foram impressionantes. O iogue Raman, por meio da prática regular e disciplinada, condicionou de tal maneira a mente que ele é capaz de diminuir seus batimentos cardíacos quando bem entender. Ele até treinou a ficar semanas sem dormir. E, embora eu não vá dizer que essa seja uma meta à qual se deva aspirar, recomendo fortemente que você comece a ver a sua mente pelo que ela é: a maior dádiva da natureza."

— Tem algum exercício que eu possa fazer para liberar esse poder da mente? Diminuir os batimentos cardíacos é uma façanha que certamente faria sucesso em festas e jantares — sugeri, espirituosamente.

— Não se preocupe com isso agora, John. Eu vou te ensinar umas técnicas práticas que vão te mostrar o poder dessa antiga tecnologia. No momento, o importante é que você entenda que o domínio mental vem por meio do condicionamento, nada mais, nada menos. A maioria de nós conta com a mesma matéria-prima desde o momento em que inspiramos o ar pela primeira vez. O que separa as pessoas mais realizadoras das outras, ou as que são mais felizes, é a maneira como utilizam e refinam essa matéria-prima. Quando você se dedica a transformar o seu mundo interior, a vida logo deixa de ser ordinária e entra no âmbito do extraordinário.

Meu professor ficava mais animado a cada instante. Seus olhos pareciam brilhar enquanto ele falava da magia da mente e da abundância de coisas boas que ela poderia trazer.

— Sabe, John, no fim das contas, só existe uma coisa sobre a qual nós temos domínio absoluto.

— Os nossos filhos? — sorri, afável.

— Não, meu amigo. A nossa mente. Nós podemos não ser capazes de controlar o tempo, ou o trânsito, ou o humor das pessoas à nossa volta. Mas certamente podemos controlar nossa atitude em relação a esses eventos. Todos nós temos o poder de determinar o que vamos pensar, em qualquer momento. Essa capacidade é parte do que nos faz seres humanos. Veja que uma das preciosidades fundamentais da sabedoria universal que adquiri nas minhas viagens ao Oriente é também uma das mais simples.

Julian então fez uma pausa, como que para invocar um presente precioso.

— E qual é a preciosidade?

— Não existe esse negócio de realidade objetiva, ou "mundo real". Não existem valores absolutos. O rosto do seu maior inimigo pode ser o rosto do meu melhor amigo. Um acontecimento que aparenta ser uma tragédia para uma pessoa pode se revelar a semente de oportunidades infinitas para outra. O que realmente separa as pessoas que são normalmente bem-humoradas e otimistas daquelas que estão sempre deprimidas é como as circunstâncias da vida são interpretadas e processadas.

— Julian, como é que uma tragédia pode ser algo além de uma tragédia?

— Vou te dar um exemplo rápido. Quando eu viajava por Calcutá, conheci uma professora chamada Malika Chand. Ela adorava ensinar e tratava os alunos como se fossem seus filhos, alimentando o potencial deles com grande generosidade. Seu lema era: "A sua determinação é mais importante que a sua inteligência." Ela era conhecida na comunidade como uma pessoa que vivia para se doar, que servia altruisticamente qualquer pessoa passando por necessidades. Infelizmente, uma noite, sua querida escola, que fora testemunha silenciosa do maravilhoso progresso de gerações de crianças, sucumbiu às chamas de um incêndio provocado por um criminoso. Todo mundo na comunidade sentiu aquela grande perda. Mas, com o passar do tempo, a raiva deu lugar à apatia e eles ficaram resignados com o fato de que seus filhos ficariam sem a tal escola.

— E a Malika?

— Ela era diferente, a mais perfeita e eterna otimista. Ao contrário de todo mundo à sua volta, ela percebeu uma oportunidade no que aconteceu. Falou a todos os pais que cada revés oferece um benefício equivalente, se eles se dessem ao trabalho de procurar. Aquele acontecimento era, de fato, uma bênção. A escola que pegou fogo era velha e decrépita. O teto tinha goteiras e o chão já afundava sob o peso de mil pezinhos passando por cima dele. Essa era a chance que eles esperavam para a comunidade se juntar e construir uma escola muito melhor, que serviria a muito mais crianças no futuro. E assim, com o apoio da enérgica senhora, foi feito um esforço coletivo e levantaram fundos suficientes para construir uma escola novinha e reluzente, que serviria como um exemplo brilhante do poder de uma visão diante da adversidade.

— Quer dizer que é como aquela máxima segundo a qual você pode ver o copo como meio cheio ou meio vazio?

— Essa é uma analogia razoável. Independentemente do que acontecer na sua vida, só você tem a capacidade de escolher a resposta que vai dar. Quando você cria o hábito de buscar o positivo em todas as circunstâncias, a sua vida vai passar a ter uma dimensão mais elevada. Essa é uma das maiores leis naturais.

— E tudo isso começa ao utilizar a mente de uma maneira mais eficaz...

— É isso mesmo, John. Todo sucesso na vida, seja ele material ou espiritual, começa nessa massa de seis quilos que se equilibra sobre os seus ombros. Ou, mais especificamente, com os pensamentos que você põe na sua mente a cada segundo de cada minuto de cada dia. O seu mundo exterior reflete o estado do seu mundo interior. Ao controlar aquilo que você pensa e a maneira como responde aos acontecimentos da sua vida, você começa a controlar o seu destino.

— Isso faz total sentido, Julian. Acho que a minha vida ficou tão movimentada que eu nunca tirei um tempo para refletir sobre essas coisas. Quando eu estava na Faculdade de Direito, Alex, meu melhor amigo, costumava ler livros de autoajuda. Ele dizia que isso o mantinha motivado e energizado diante da nossa enorme carga de trabalho. Eu me lembro de ele me dizer que o ideograma chinês para "crise" se compunha de dois subcaracteres: um que queria dizer "perigo" e outro que significava "oportunidade". Acho que até os antigos chineses sabiam que existe um lado bom mesmo na pior das situações. Desde que você tenha a coragem de procurar por ele.

— O iogue Raman dizia o seguinte: "Não existem erros na vida, só lições. Não existe esse negócio de experiência negativa, só oportunidades para crescer, aprender e avançar pela estrada do autoaperfeiçoamento. A força vem da luta. Até a dor pode ser uma professora maravilhosa."

— A dor? — protestei.

— Exatamente. Para transcender a dor, você precisa primeiro experimentá-la. Ou, se colocarmos de outra maneira, como é que você pode realmente conhecer a alegria de estar no topo de uma montanha, se não tiver visitado primeiro o vale mais profundo. Entende o que eu estou dizendo?

— Para saborear as coisas boas, é preciso conhecer primeiro o que é ruim?

— É. Mas eu sugiro que você pare de julgar os acontecimentos como bons ou ruins. Em vez disso, trate apenas de vivenciá-los, comemorá-los e aprender com eles. Todos os acontecimentos oferecem lições. Essas pequenas lições podem abastecer o seu crescimento interior e exterior. Sem elas, você ficaria parado no mesmo patamar. Basta pensar na sua vida. A maioria das pessoas cresce mais a partir das experiências mais desafiadoras. E se você se deparar com um resultado que não esperava e se sentir um pouquinho decepcionado, lembre-se de que as leis da natureza sempre asseguram que, quando uma porta se fecha, outra se abre.

Animado, Julian começou a levantar os braços, mais ou menos como um pastor evangélico faria ao pregar para a sua congregação.

— Uma vez que você comece a aplicar esse princípio de maneira consistente em seu dia a dia e a condicionar a sua mente a traduzir cada acontecimento em algo positivo, em que o poder passa a estar nas suas mãos, você vai se livrar das preocupações para sempre. Vai parar de ser um prisioneiro do passado. E, em vez disso, vai se tornar o arquiteto do seu futuro.

— Tudo bem, eu entendo esse conceito. Toda experiência, mesmo a pior, oferece uma lição. Por isso, devo abrir a minha mente para o aprendizado em todas as circunstâncias. Dessa maneira, vou ficar mais forte e mais feliz. E o que mais um humilde advogado de classe média pode fazer para melhorar as coisas?

— Primeiro, comece a viver da glória da sua imaginação, e não da sua memória.

— Você pode me explicar melhor?

— Tudo o que eu estou dizendo é que, para libertar o potencial da sua mente, do seu corpo e da sua alma, você precisa primeiro dar asas a sua imaginação. Veja, tudo é criado duas vezes: primeiro, no ateliê da mente e, depois, na esfera da realidade. Eu chamo esse processo de "mapeamento", porque tudo o que você cria no seu mundo exterior começou como um simples mapa no seu mundo interior, na magnífica tela que é a sua mente. Quando você aprender a controlar os seus pensamentos e a imaginar intensamente tudo o que deseja dessa existência mundana, num estado de completa expectativa, as forças latentes vão despertar dentro de você. Você vai começar a liberar o verdadeiro potencial da sua mente para criar o tipo de vida mágica que eu acredito que você mereça. Desta noite em diante, esqueça o seu passado. Ouse sonhar que você é mais do que a soma das atuais circunstâncias. Espere o melhor. Você vai ficar impressionado com os resultados.

"Sabe, John, todos esses anos que eu trabalhei como advogado, eu achava que sabia tanto... Passei anos estudando nas melhores universidades, lendo todos os livros de Direito. É claro que, quando o jogo era o Direito, eu era um vencedor. No entanto, agora percebo que era um perdedor no jogo da vida. Eu ficava tão ocupado correndo atrás dos grandes prazeres da vida que perdi todos os pequenos. Eu nunca li as grandes obras que o meu pai me dizia para ler. Nunca construí grandes amizades. Nunca aprendi a realmente apreciar a boa música. Dito isto, realmente acho que tive sorte. O meu ataque cardíaco foi o meu momento de definição, o meu despertador pessoal, se preferir. Acredite se quiser, ele me deu uma segunda chance para viver uma vida mais rica e mais inspirada. Como no caso de Malika Chand, eu vi as sementes da oportunidade na minha dolorosa experiência. E o mais importante: tive a coragem de cultivá-las."

Dava para perceber que, embora Julian tivesse ficado mais jovem externamente, por dentro ele havia se tornado mais sábio. Percebi que aquela noite era mais do que um colóquio fascinante com um velho amigo. Percebi que aquela noite podia ser o meu momento pessoal de definição e uma nítida oportunidade de recomeço. Minha cabeça começou a pensar em tudo o que estava errado na minha vida. Sim, eu tinha uma família excelente e um emprego estável como advogado respeitado. No entanto, nos meus momentos de silêncio, eu sabia que a vida tinha que ser mais do que isso. Precisava preencher o vazio que estava começando a tomar conta da minha existência.

Quando eu era criança, tinha sonhos tão grandiosos. Muitas vezes, eu me imaginava como um herói dos esportes, ou um magnata do mundo dos negócios. Realmente acreditava que era capaz de fazer, ter e ser o que eu bem desejasse. Eu também me lembrei da maneira como costumava me sentir quando era jovem, crescendo na ensolarada Califórnia. A diversão aparecia na forma de pequenos prazeres. Uma tarde gloriosa na praia ou um passeio de bicicleta na floresta eram programas muito divertidos. Eu tinha tanta curiosidade pela vida — era um aventureiro. Não havia limites quanto ao que o futuro poderia me trazer. Honestamente, não acredito que tenha voltado a sentir esse tipo de liberdade e de alegria por uns 15 anos. O que será que aconteceu?

Talvez eu tenha perdido os meus sonhos de vista ao virar adulto e tenha me resignado a me portar da maneira esperada de um homem da minha idade. Talvez eu os tenha perdido de vista quando entrei para a Faculdade de Direito e comecei a falar da maneira esperada de um advogado. Seja como for, aquela noite com Julian ao meu lado, abrindo seu coração enquanto bebia uma xícara de chá frio, me fez tomar a decisão de parar de desperdiçar tanto tempo tentando ganhar a vida e dedicar muito mais tempo a construir uma vida.

— Parece que eu também estou fazendo você pensar na sua vida — comentou Julian. — Comece a pensar nos seus sonhos, para variar, do jeito que fazia quando era criança. Jonas Salk colocou isso muito bem quando disse: "Eu tive sonhos e tive pesadelos. Superei os pesadelos por causa dos meus sonhos." Tire a poeira dos seus sonhos, John. Comece a homenagear a vida outra vez e celebre todas as maravilhas que ela oferece. Acorde para o poder que a sua mente tem de fazer as coisas acontecerem. Quando você fizer isso, o universo vai conspirar para fazer mágicas acontecerem na sua vida."

Julian então apalpou o interior de seu robe e retirou um pequeno cartão, mais ou menos do tamanho de um cartão de visitas, um pouco rasgado nos lados, que aparentemente era o resultado de muitos meses de uso constante.

— Um dia, eu e o iogue Raman estávamos caminhando por uma silenciosa trilha nas montanhas e perguntei qual era o seu filósofo favorito. Ele me disse que tivera muitas influências na vida e que era difícil apontar uma única fonte de inspiração. No entanto, havia uma passagem que ele carregava dentro do coração. Uma passagem que incorporava todos os valores que ele viera a valorizar em sua vida de contemplação. Naquele lugar glorioso, no meio do nada mais absoluto, esse estudioso sábio do Oriente a compartilhou comigo. Eu também gravei as palavras no meu coração. Elas me servem como uma lembrança de tudo o que nós somos e de tudo o que podemos ser. As palavras foram pronunciadas pelo grande filósofo indiano Patanjali. Repeti-las em voz alta todo dia de manhã antes de me sentar para meditar exerceu uma profunda influência no decorrer dos meus dias. Lembre-se, John, de que as palavras são a incorporação verbal do poder.

Julian me mostrou o cartão. A passagem dizia:

> *Quando você se inspira num grande objetivo, num projeto extraordinário, todos os seus pensamentos rompem barreiras: sua mente transcende os seus limites, sua consciência se expande em todas as direções e você se encontra num mundo novo, grandioso e maravilhoso. Forças latentes, talentos e habilidades ganham vida, e você descobre que é uma pessoa maior do que jamais imaginou ser.*

Naquele instante, eu vi a ligação entre a vitalidade física e a agilidade mental. Julian estava com a saúde perfeita (isso era visível) e parecia ser muitos anos mais novo do que quando nos conhecemos. Ele irradiava vibração e parecia que a sua energia, seu entusiasmo e seu otimismo não tinham limites. Pude ver que ele fizera muitas mudanças em seu antigo estilo de vida, mas era evidente que o ponto de partida dessa transformação magnífica foi a saúde mental. O sucesso exterior nasce do sucesso interior e, alterando seus pensamentos, Julian Mantle havia mudado sua vida.

— E como, exatamente, eu poderia desenvolver essa atitude positiva, serena e inspirada, Julian? Depois de todos esses anos de rotina, acho que os meus músculos mentais ficaram um pouco flácidos. Aliás, agora que eu penso nisso, eu costumo ter muito pouco controle sobre os pensamentos que flutuam pelo jardim da minha mente — falei, com sinceridade.

— A mente é um servo maravilhoso, mas um mestre terrível. Se você nutre pensamentos negativos, é por que não deu atenção à sua mente e não a treinou para se concentrar no positivo. Winston Churchill dizia que "o preço da grandeza é a responsabilidade sobre todos os seus pensamentos". Aí, sim, você vai instalar a mentalidade vibrante que tanto procura. Lembre-se de que a mente é realmente igual a qualquer outro músculo do seu corpo. Ou você usa, ou você perde.

— Você está querendo dizer que, se eu não exercitar a minha mente, ela vai enfraquecer?

— Sim. Pense nisso da seguinte maneira: se quiser fortalecer os músculos do seu braço, para extrair mais deles, você precisa exercitá-los. Se quiser enrijecer os músculos das suas pernas, você precisa fazer força. Da mesma maneira, a sua mente vai fazer coisas maravilhosas para você se permitir isso a ela. Ela vai atrair tudo o que você deseja para a sua vida a partir do momento que aprender a administrá-la com eficiência. Ela lhe proporcionará uma saúde perfeita se você tomar os devidos cuidados. E vai voltar ao estado natural de paz e tranquilidade se você tiver a consciência de pedir por isso. Os Sábios de Sivana têm um ditado muito especial: "Os limites da sua mente são meras criações do seu eu interior."

— Essa eu não entendi, Julian.

— Os pensadores iluminados sabem que seus pensamentos formam o seu mundo e que a qualidade de vida de uma pessoa se resume à riqueza de seus pensamentos. Se você quiser uma vida mais tranquila e cheia de significado, precisa ter pensamentos mais tranquilos e cheios de significado.

— Me dá uma solução rápida, Julian.

— O que você quer dizer com isso? — perguntou ele suavemente, enquanto passava os dedos bronzeados pela frente do robe brilhante.

— Eu estou muito animado com tudo isso que você está me falando, mas sou um sujeito impaciente. Você não tem alguma técnica ou exercício que eu possa utilizar agora, aqui mesmo nesta sala, para mudar a minha maneira de conduzir a mente?

— Soluções rápidas não funcionam. Toda mudança duradoura exige tempo e esforço. A perseverança é a mãe das mudanças pessoais. Não estou dizendo que vai demorar anos para fazer mudanças profundas na sua vida. Se lançar mão da disciplina e aplicar as estratégias que vou dividir com você todos os dias durante um mês, ficará espantado com os resultados. Você terá acesso aos níveis mais elevados da sua capacidade e entrará na esfera dos milagres. Mas, para chegar a esse destino, você não pode se prender ao resultado. É preciso apreciar o processo de crescimento e expansão da mente. Por mais irônico que pareça, quanto menos você se focar no resultado final, mais rápido ele irá chegar.

— Como assim?

— É como aquela velha história do menino que viajou para longe de casa para estudar com um grande mestre. Quando encontrou o velho sábio, a primeira pergunta que lhe fez foi: "Quanto tempo vai demorar até eu ficar tão sábio quanto o senhor?"

"A resposta veio rápido: 'Cinco anos.'

"'É muito tempo', respondeu o garoto. 'E se eu me esforçar em dobro?'

"'Nesse caso, vai demorar dez anos', disse o mestre.

"'Dez?! Mas isso é tempo demais. E se eu estudar todo dia até a alta madrugada?'
"'Quinze anos.'
"'Não dá para entender', respondeu o garoto. 'Toda vez que eu prometo dedicar mais energia à minha meta, o senhor me diz que vai demorar mais tempo. Por quê?'
"'A resposta é muito simples. Se você tiver um olho fixo no destino, só vai sobrar um para guiá-lo na viagem.'"

— Entendi perfeitamente — cedi, condescendente. — Parece muito com a história da minha vida.

— Seja paciente e saiba que tudo o que você está procurando chegará com certeza se você se preparar para isso e esperar.

— Mas eu nunca tive sorte. Tudo o que eu sempre recebi na vida só veio depois de muita perseverança.

— E o que é a sorte, meu amigo? — retorquiu Julian, amavelmente. — Não é nada mais que a união de preparação e oportunidade.

E acrescentou, mansamente:

— Antes de eu dar a você os métodos exatos que me foram passados pelos Sábios de Sivana, preciso, primeiro, compartilhar alguns princípios básicos. Primeiro, sempre se lembre de que a concentração é a raiz do domínio mental.

— Sério?

— Sim. Eu também fiquei surpreso. Mas é verdade. A mente pode conseguir coisas extraordinárias, você já aprendeu isso. O simples fato de ter um sonho ou um desejo significa que você tem a capacidade correspondente de realizá-lo. Essa é uma das grandes verdades universais conhecidas pelos Sábios de Sivana. No entanto, para liberar o poder da mente, é preciso primeiro saber controlá-lo e direcionar o foco apenas para o trabalho à sua frente. No momento em que você concentra o foco da sua mente num objetivo específico, dádivas extraordinárias aparecerão na sua vida.

— Mas por que é tão importante ter uma mente concentrada?

— Deixa eu contar uma charada que vai responder perfeitamente essa pergunta. Digamos que você esteja perdido numa floresta, no meio do inverno. Você precisa desesperadamente se manter aquecido. Tudo o que você tem na mochila é uma carta que o seu melhor amigo te mandou, uma lata de sardinha e uma pequena lente de aumento que você carrega para compensar a perda de visão. Por sorte, conseguiu encontrar alguns pedaços secos de madeira, mas infelizmente está sem fósforo. Como é que você acenderia o fogo?

Caramba. Nessa o Julian me pegou. Eu não fazia a menor ideia de qual era a resposta.

— Desisto.

— É muito simples. Põe a carta no meio dos pedaços de madeira e segura a lente em cima deles. Os raios de sol vão ficar concentrados, de maneira que o fogo vai se acender em questão de segundos.

— E a lata de sardinha?

— Ah, isso eu só meti no meio para distrair você da solução mais óbvia — respondeu Julian, sorrindo. — Mas a essência desse exemplo é: colocar a carta simplesmente sobre a madeira não traria resultado algum. No entanto, a partir do momento que você utilizou a lente de aumento para concentrar os raios dispersos do sol sobre a carta, ela vai pegar fogo. Essa analogia também vale para a sua mente. Quando você concentra o seu enorme poder em objetivos definidos e significativos, vai rapidamente acender o fogo do seu potencial e produzir resultados impressionantes.

— Tipo o quê?

— O único que pode responder a essa pergunta é você. O que você procura? Você quer ser um pai melhor e viver uma vida mais equilibrada e gratificante? Deseja mais realização espiritual? Ou sente falta de alegria e aventura? Pensa um pouquinho.

— Que tal a felicidade eterna?

— Com você é tudo ou nada — ele riu. — Nem pensou em começar do início. Bem, isso você também pode conseguir.

— Como?

— Os Sábios de Sivana conhecem o segredo da felicidade há mais de 5 mil anos. Felizmente, estavam dispostos a compartilhar comigo. Quer ouvir?

— Não. Acho melhor fazer uma pausa e colocar primeiro um papel de parede na garagem.

— Hein?

— É claro que eu quero ouvir o segredo da felicidade eterna, Julian. Não é isso que, no fim das contas, todo mundo sempre está procurando?

— É verdade. Pois então, lá vai... Será que eu poderia te incomodar e pedir mais uma xícara de chá?

— Para de fazer suspense.

— Muito bem. O segredo da felicidade é simples: *descubra aquilo que você realmente ama fazer e então dirija toda a sua energia nessa direção.* Se você estudar as pessoas mais felizes, saudáveis e satisfeitas do mundo, vai ver que todas elas encontraram uma paixão na vida e passaram todos os seus dias correndo atrás dela. Esse chamado é quase sempre algo que, de alguma maneira, serve aos outros. Uma vez que você esteja concentrando o seu poder mental e a sua energia numa atividade que ame, a abundância vai fluir na sua vida e todos os seus desejos vão ser realizados com graça e facilidade.

— Quer dizer que é simplesmente uma questão de descobrir o que me motiva e passar a fazer isso?

— Se for uma meta de valor...

— Como é que você define o que é "de valor"?

— Como eu falei, John, a sua paixão precisa, de alguma maneira, melhorar ou servir à vida de outras pessoas. Victor Frankl se expressou com mais elegância do que eu seria capaz de fazer quando escreveu que "o sucesso, assim como a felicidade, não pode ser perseguido, tem que ser uma consequência. E ele só acontece como um efeito colateral não intencionado da dedicação pessoal a uma causa maior do que si mesmo". Quando você descobrir qual é a obra da sua vida, o seu mundo será iluminado. Você vai se levantar todo dia de manhã com uma reserva ilimitada de entusiasmo e energia. Todos os seus pensamentos vão estar focados no seu objetivo definido. Você não vai ter tempo a perder. O valioso poder da mente não vai, assim, ser desperdiçado em pensamentos triviais. Você vai automaticamente apagar o hábito de ficar preocupado e vai se tornar muito mais eficiente e produtivo. E o interessante é que você também terá uma profunda sensação de harmonia, como se estivesse, de alguma maneira, sendo guiado para cumprir a sua missão. É um sentimento maravilhoso. Eu adoro.

— Fascinante. Eu gostei especialmente daquela parte de acordar se sentindo bem disposto. Para ser totalmente franco com você, Julian, na maioria das vezes eu só quero poder ficar debaixo das cobertas. Seria tão melhor do que enfrentar o trânsito, os clientes zangados, a agressividade dos oponentes e o fluxo incessante de influências negativas. Tudo isso me deixa tão cansado...

— Sabe por que a maioria das pessoas dorme tanto?
— Por quê?
— Porque elas realmente não têm muito mais o que fazer. Aquelas que se levantam com o sol têm, todas, algo em comum.
— E o que é? Loucura?
— Muito engraçado. Não, todas elas têm um propósito que abastece o fogo do seu potencial interior. São guiadas por prioridades, mas não de uma maneira obsessiva e nada saudável. É mais suave e não requer esforço. E, dado o entusiasmo e o amor que elas têm pelo que fazem na vida, elas vivem no momento. Sua atenção está totalmente voltada para o aqui e o agora. Por isso, elas não vazam energia. São as pessoas mais vibrantes e vigorosas que você pode ter a sorte de conhecer.

— Não vazam energia? Que papo esotérico, Julian. Aposto que você não aprendeu isso em Harvard.

— É verdade. Os Sábios de Sivana foram pioneiros nesse conceito. Embora ele já exista há muitos séculos, sua aplicação tem tanta importância hoje como quando ele foi desenvolvido. Muitos de nós somos consumidos por preocupações desnecessárias e intermináveis. Isso suga nossa energia e vitalidade naturais. Você já viu a parte interna de um pneu de bicicleta?

— É claro.

— Quando está todo inflado, ele pode facilmente levar alguém ao seu destino. Mas, se tiver algum furo ou vazamento, a câmara acaba se esvaziando e a viagem chega a um fim repentino. É assim que a mente trabalha. As preocupações fazem vazar o seu potencial e a sua preciosa energia mental, assim como o ar vazando da câmara de uma bicicleta. E logo você fica sem energia. Toda a sua criatividade, seu otimismo e sua motivação são exauridos e deixam você exausto.

— Conheço bem essa sensação. Eu geralmente passo os meus dias no caos de uma crise. Sempre tenho que estar em algum lugar e parece que nunca consigo agradar ninguém. Em dias assim, percebo que, embora tenha feito muito pouco esforço físico, todas as minhas preocupações me deixaram totalmente esgotado no fim do expediente. Acho que a única coisa que consigo fazer quando chego em casa é me servir um uísque e me atracar com o controle remoto.

— Exatamente. Estresse demais gera isso. No entanto, uma vez que você encontre o seu propósito, a vida fica muito mais fácil e muito mais gratificante. Quando descobrir qual é realmente o seu verdadeiro objetivo e o seu destino, você nunca mais vai trabalhar um único dia na vida.

— Você está dizendo que vou me aposentar cedo?

— Não — disse Julian naquele tom sem brincadeiras em que era mestre no seu tempo de ilustre advogado. — O seu trabalho passa a ser uma diversão.

— Não seria um pouco arriscado desistir da minha profissão e começar a procurar a minha verdadeira paixão e propósito? Quer dizer, tenho que sustentar uma família e tenho compromissos de verdade. Quatro pessoas que dependem de mim.

— Não estou dizendo que você tenha que largar o Direito amanhã. No entanto, você vai ter que começar a correr riscos. Dar uma sacudida na sua vida. Se livrar das teias de aranha. Pegar a estrada menos percorrida. A maioria das pessoas mora dentro dos limites de uma zona de conforto. O iogue Raman foi a primeira pessoa a me explicar que a melhor coisa que você pode fazer é regularmente ir além dela. Essa é a maneira de obter um domínio pessoal permanente e realizar o verdadeiro potencial dos seus dotes humanos.

— E que dotes seriam esses?

— A sua mente, o seu corpo e a sua alma.

— Muito bem. E que riscos eu deveria correr?

— Parar de ser tão prático. Começar a fazer as coisas que você sempre teve vontade de fazer. Eu conheço advogados que largaram tudo para virar atores de teatro, contadores ou músicos de jazz. Nesse processo, eles encontraram a felicidade profunda que tantas vezes lhes escapara. E daí se eles não puderem mais pagar duas temporadas de férias por ano num casarão no Caribe? Correr riscos calculados paga grandes dividendos. Como é que você vai chegar à terceira base num jogo de beisebol se continuar com o pé na segunda?

— Já entendi o que você quer dizer.

— Então, pensa nisso com calma. Descubra a sua verdadeira razão de existir e então tenha a coragem de agir nessa direção.

— Julian, com todo o respeito, eu não faço outra coisa a não ser pensar. Para falar a verdade, uma parte do meu problema é que eu penso demais. A minha cabeça não para nunca. Está sempre cheia de conversas mentais. E isso às vezes me deixa louco.

— O que eu estou sugerindo é diferente. Todos os Sábios de Sivana tiravam, diariamente, um tempo para contemplar em silêncio não só onde eles estiveram um dia, mas para onde eles vão. Todo dia, eles tinham um período para refletir sobre o seu propósito na vida e sobre como estavam vivendo. O mais importante é que eles refletiam profunda e genuinamente sobre como poderiam melhorar no dia seguinte. São pequenas melhorias diárias que produzem resultados duradouros, que, por sua vez, levam a mudanças positivas.

— Quer dizer que eu devia tirar um tempo para pensar regularmente na vida?

— Isso. Mesmo uns dez minutos por dia de reflexão concentrada vão exercer um impacto profundo na sua qualidade de vida.

— Eu entendo que seja assim lá na sua terra, Julian. O problema é que, depois que o meu dia começa, não consigo achar dez minutos nem para almoçar.

— Meu amigo, dizer que você não tem tempo para melhorar os seus pensamentos e a sua vida é igual a dizer que você não tem tempo para colocar gasolina porque está ocupado demais dirigindo. Mais cedo ou mais tarde, você vai acabar tendo que parar.

— É, eu sei. Mas, Julian, você disse que ia me ensinar algumas técnicas — disse, esperando aprender maneiras práticas de aplicar os conhecimentos que eu estava ouvindo.

— Existe uma técnica para dominar a mente que se sobressai frente às demais. É uma das favoritas dos Sábios de Sivana, que a ensinaram para mim com grande fé e confiança. Depois de praticá-la por meros 21 dias, me senti mais energizado, entusiasmado e vibrante do que eu me sentia havia muitos anos. Essa prática tem mais de 4 mil anos e se chama o Coração da Rosa.

— Conta mais.

— Tudo o que é preciso para fazer esse exercício é uma rosa e um lugar silencioso. Um ambiente natural seria ideal, mas um quarto sem barulho também serve perfeitamente. Comece olhando fixamente para o centro da rosa, que é o seu coração. O iogue Raman me disse que uma rosa é muito parecida com a vida: você vai encontrar espinhos no caminho, mas se tiver fé e acreditar nos seus sonhos, com o tempo vai superar os espinhos e atingir a glória da flor. Continue olhando para a rosa. Perceba a cor, o desenho e a textura da flor. Saboreie a fragrância e pense apenas nesse objeto maravilhoso que está à sua frente. No começo, outros pensamentos vão começar a entrar na sua mente, distraindo você do coração da rosa. Essa é a marca de uma mente destreinada. Mas você não precisa se preocupar, logo melhorará. Basta voltar a sua atenção ao objeto à sua frente e logo a sua mente vai ficar vigorosa e disciplinada.

— É só isso? Me parece muito simples.

— Isso é o que é mais bonito, John. No entanto, esse ritual tem que ser praticado diariamente para ser eficaz. Nos primeiros dias, você vai achar difícil passar cinco minutos sequer nesse exercício. A maioria de nós vive num ritmo tão acelerado que a verdadeira quietude e o verdadeiro silêncio são quase que estranhos e incontroláveis. A maioria das pessoas que ouvir essas palavras vai dizer que não tem tempo de ficar sentada olhando fixamente para uma flor. São as mesmas pessoas que vão dizer que não têm tempo de apreciar o riso de uma criança ou de andar descalças na chuva. São indivíduos que dizem ser ocupados demais para fazer essas coisas. Eles não têm tempo sequer de construir amizades, porque isso também leva tempo.

— Você conhece bem esse tipo de gente.

— Eu já fui assim — disse Julian. Fez uma pausa e ficou em silêncio, seu olhar intenso grudado no relógio de pêndulo, que a minha avó dera a mim e à Jenny como presente de chá de casa nova. — Quando penso nas pessoas que vivem desse jeito, eu me lembro das palavras de um velho escritor inglês que o meu pai adorava ler: "Não se deve permitir que o relógio e a agenda nos deixem cegos para o fato de que cada momento da vida é um milagre — e um mistério."

"Insista e passe mais tempo e períodos mais longos saboreando o coração da rosa", continuou Julian com a voz rouca. "Depois de uma ou duas semanas, você já deve ser capaz de fazer esse exercício por vinte minutos sem que a mente se desvie para outros assuntos. Essa vai ser a primeira indicação de que você já está tomando o controle da fortaleza da sua mente. A partir daí, ela vai se concentrar apenas naquilo que você mandá-la se concentrar. Vai ser um servo maravilhoso, capaz de fazer coisas extraordinárias para você. Mas lembre-se de que ou você controla a sua mente, ou é ela que vai controlar você.

"Na prática, você notará uma sensação de calma muito maior. Terá dado um passo importante para apagar o hábito da preocupação constante, que aflige a maior parte da população, e desfrutará de mais energia e mais otimismo. Acima de tudo, você observará que uma sensação de alegria será introjetada em sua vida, juntamente com a capacidade de apreciar as inúmeras dádivas que cercam você. Todo dia, não importa o quanto você estiver ocupado e quantos desafios tiver que enfrentar, volte para o Coração da Rosa. É o seu oásis, o seu refúgio silencioso, a sua ilha de paz. Nunca se esqueça de que existe poder no silêncio e na quietude, que é o primeiro passo para se ligar à fonte universal de inteligência que pulsa em todos os seres vivos."

Eu estava fascinado com tudo o que estava ouvindo. Será que era realmente possível melhorar de forma substancial a minha qualidade de vida com uma estratégia tão simples?

— Não pode ser apenas o Coração da Rosa que trouxe à tona essa mudança tão radical que vejo em você — pensei em voz alta.

— Ah, sim, é verdade. A minha transformação se deu utilizando uma série de estratégias altamente eficazes. Mas não se preocupe. Todas são tão simples quanto esse exercício que eu acabei de dividir com você, e igualmente poderosas. A chave para você, John, é abrir a sua mente para o seu potencial de levar uma vida rica em possibilidades.

Julian, a eterna fonte de sabedoria, continuou a revelar o que havia aprendido em Sivana.

— Outra técnica particularmente boa para livrar a mente de preocupações e outras influências negativas que esvaziam a vida se baseia naquilo que o iogue Raman chamava de Pensamento Contrário. Eu aprendi que, segundo as grandes leis da Natureza, a mente só pode conter um pensamento de cada vez. Tente você mesmo, John, e vai ver que é verdade.

Eu tentei e vi que era verdade.

— Usando essa informação tão pouco conhecida, qualquer um pode facilmente criar uma perspectiva positiva em pouco tempo. O processo é bem direto: quando um pensamento indesejável ocupar o ponto focal da sua mente, substitua-o imediatamente por algo edificante. É como se a sua mente fosse um projetor de slides gigante e cada pensamento fosse um slide. Sempre que um slide negativo aparecer, aja rápido e substitua-o por um que seja positivo.

"É aí que as contas de oração que estão em volta do meu pescoço entram em cena", acrescentou Julian, entusiasmado. "Toda vez que me vejo pensando em algo negativo, eu pego este colar e tiro um botão. Os botões de preocupação vão para um copo que eu carrego na minha mochila. Juntos eles servem como um lembrete de que eu ainda tenho um longo caminho a percorrer na estrada do domínio mental e da responsabilidade sobre os pensamentos que povoam a minha mente."

— Uau, essa é boa. Isso é realmente muito prático. Eu nunca ouvi falar em nada parecido. Conte mais sobre esse Pensamento Contrário.

— Aqui vai um exemplo real. Digamos que você tenha tido um dia puxado no tribunal. O juiz discordou da sua interpretação da lei, o advogado do outro lado deveria ser preso e o seu cliente mostrou mais do que uma ponta de insatisfação com o seu desempenho. Você volta para casa e desaba na sua cadeira favorita, todo amolado. O primeiro passo é se tornar consciente de que está com um monte de pensamentos pouco inspiradores na cabeça. O autoconhecimento é o primeiro passo para o autodomínio. O segundo passo é entender, de uma vez por todas, que, da mesma maneira que permitiu que esses pensamentos ruins entrassem, você pode substituí-los por outros mais alegres. Então pense no contrário da depressão. Preocupe-se em parecer alegre e enérgico. Sinta que é feliz. Talvez você até comece a sorrir. Mexa o seu corpo do jeito como você faz quando está feliz e cheio de entusiasmo. Melhore a postura, respire fundo e treine o poder da sua mente para pensar somente positivo. Em questão de minutos, vai perceber uma diferença impressionante na maneira como você se sente. O mais importante é que, se você praticar regularmente o Pensamento Contrário, aplicando-o a todo pensamento negativo que costuma frequentar a sua mente, em semanas verá que eles não exercem mais poder algum. Você está entendendo o que eu estou querendo dizer?

Julian continuou com a explicação:

— Os pensamentos são coisas vivas e vitais, montinhos de energia, se você preferir. A maioria das pessoas nem pensa um segundo na natureza do que elas pensam e, no entanto, a qualidade dos seus pensamentos determina a sua qualidade de vida. Os pensamentos são uma parte do mundo material, tanto quanto o lago em que você nada ou a rua onde você anda. Mentes fracas levam a ações fracas. Uma mente forte e disciplinada, que qualquer um é capaz de cultivar através da prática diária pode atingir milagres. Se você quiser aproveitar ao máximo a sua vida, tome conta dos seus pensamentos, do mesmo jeito como você tomaria conta das suas posses mais preciosas. Trabalhe duro para remover toda a turbulência interna. As recompensas vão ser abundantes.

— Eu nunca enxerguei os pensamentos como coisas vivas, Julian — repliquei, surpreso com essa descoberta. — Mas eu posso ver como eles influenciam todos os elementos do meu mundo.

— Os Sábios de Sivana acreditavam piamente que as pessoas só deviam ter pensamentos *sattvic*, ou puros. Eles atingiam tal estado através das técnicas que eu acabei de dividir com você, além de outras práticas como uma alimentação natural, a repetição de afirmações positivas ou "mantras", como eles os chamavam, a leitura de livros cheios de sabedoria e se certificando permanentemente de que suas companhias estivessem sempre iluminadas. Se um único pensamento impuro entrasse no templo de suas mentes, eles se puniam viajando por muitos quilômetros e se obrigando a ficar debaixo de uma queda d'água gelada, até que não conseguissem aguentar mais a temperatura gélida.

— Eu pensei que você tivesse dito que esses sábios fossem pessoas sensatas. Ficar debaixo de uma cachoeira com água gelada nas montanhas do Himalaia, só por ter tido um pequeno pensamento negativo, me parece uma atitude extrema.

A resposta veio rápida como um raio, resultado de sua experiência de anos como advogado de primeira linha:

— John, eu vou ser de uma franqueza brutal. Você realmente não pode se dar ao luxo de ter um único pensamento negativo.

— É mesmo?

— É, sim. Um pensamento de preocupação é igual a um embrião. Começa pequeno, mas vai aumentando. Logo ele assume vida própria.

Julian parou por um momento e sorriu.

— Me desculpe se eu pareço um pastor evangélico quando falo desse tema, da filosofia que aprendi na minha viagem. Mas é que descobri ferramentas que podem melhorar a vida de muita gente, pessoas que se sentem não realizadas, infelizes e sem inspiração. Alguns ajustes nas rotinas diárias para incluir a técnica do Coração da Rosa e a aplicação permanente do Pensamento Contrário vão lhes proporcionar a vida que tanto desejam. E eu acho que elas merecem saber disso.

"Agora, antes de passar do jardim para o próximo elemento da fábula, eu preciso que você conheça mais um segredo que vai ajudar muito no seu crescimento pessoal. Esse segredo se baseia no velho princípio de que tudo sempre é criado duas vezes, primeiro na mente e depois na realidade. Eu já falei que pensamentos são coisas, mensageiros materiais que nós enviamos para influenciar o nosso mundo físico. Eu também informei que, se você espera fazer avanços consideráveis no mundo exterior, precisa começar por dentro e trocar a qualidade dos seus pensamentos.

"Os Sábios de Sivana têm uma maneira maravilhosa de assegurar que os pensamentos serão sempre puros e íntegros. Essa técnica também foi extremamente eficiente em transformar os desejos deles, por mais simples que fossem, em realidade. Esse método funciona para qualquer pessoa. Funciona tanto para um jovem advogado que busca a abundância financeira quanto para a mãe que deseja uma vida familiar mais recompensadora, ou o vendedor que quer fechar mais negócios. Os sábios batizaram essa técnica de "o Segredo do Lago". Para colocá-la em prática, os mestres acordavam às quatro horas da manhã, já que sentiam que as primeiras horas da manhã possuem qualidades mágicas das quais eles podem se beneficiar. Os sábios então caminhavam por uma série de trilhas em montanhas íngremes e estreitas, que acabavam os levando aos recônditos mais baixos da região que habitavam. Uma vez que estivessem lá, passavam por uma trilha que mal podia ser vista, ladeada por magníficos pinheiros e flores exóticas, até chegarem a uma clareira. No fim da clareira havia um lago de águas cristalinas coberto por milhares de pequenas flores de lótus. A água do lago era surpreendentemente mansa e parada. Era uma vista milagrosa, de fato. Os sábios me contaram que esse lago servira como um amigo de seus ancestrais há milênios."

— Mas qual era o Segredo do Lago? — perguntei, perdendo a paciência.

Julian explicou que os sábios se olhavam nas águas paradas do lago e viam os seus sonhos se tornarem realidade. Se era a virtude da disciplina que eles queriam cultivar em sua vida, eles se viam acordando de manhã e cumprindo sua rotina sem titubear e passando dias em silêncio para aumentar a força de vontade. Se o que eles procuravam era mais alegria, eles olhavam para o lago e se viam rindo sem parar ou sorrindo a cada vez que encontrassem um dos irmãos. Se o que queriam era a coragem, eles se viam agindo com vigor num momento de crise e de desafio.

— O iogue Raman me disse que, na sua infância, não tinha muita autoconfiança porque era menor do que os garotos da idade dele. E embora sempre fossem gentis com ele, por causa da influência do ambiente, ele se tornou tímido e inseguro. Para curar essa fraqueza, o iogue Raman viajava até esse lugar paradisíaco e usava o lago como uma tela para projetar as imagens da pessoa que ele queria ser. Às vezes, ele se enxergava como um líder forte, com uma postura ereta e falando com uma voz poderosa e imponente. Outras, ele se via como queria ser visto quando mais velho: um grande sábio, com tremenda personalidade e força interior. Todas as virtudes que desejava ter na vida, ele vislumbrava primeiro na superfície do lago.

"Numa questão de meses, o iogue Raman se tornou a pessoa em que ele se vira transformando mentalmente. Sabe, John, a mente funciona através de imagens. Elas afetam como você se vê e essa autoimagem afeta como você se sente, suas ações e o que você consegue. Se a sua autoimagem fala que você é jovem demais para ser um advogado bem-sucedido, ou velho demais para melhorar os seus hábitos, você nunca vai conquistar esses objetivos. Se a sua autoimagem diz que vidas cheias de propósito, felicidade e boa saúde são só para pessoas que tiveram uma formação diferente da sua, essa profecia vai acabar se tornando a sua realidade.

"Mas, quando você projeta imagens inspiradoras na tela da sua mente, coisas maravilhosas começam a acontecer na sua vida. Einstein dizia que "a imaginação é mais importante que o conhecimento". Você precisa passar um tempo, todo dia, mesmo que sejam apenas alguns minutos, praticando essa visualização criativa. Imagine-se da maneira como você deseja ser, não importa se você se imaginar um excelente juiz, um excelente pai ou um excelente cidadão da sua comunidade."

— Mas é preciso encontrar algum lago especial para pôr em prática o Segredo do Lago? — perguntei, inocente.

— Não. O Segredo do Lago foi apenas o nome que os sábios deram à técnica, que vem de tempos ancestrais, de utilizar imagens positivas para influenciar a sua mente. Você pode praticar esse método na sua própria sala, ou até no escritório, se estiver realmente a fim. Feche a porta, avise que não atenderá ligações e feche os olhos. Respire fundo algumas vezes. Você vai perceber que, depois de uns dois ou três minutos, vai começar a se sentir relaxado. Aí, comece a criar imagens mentais de tudo o que você quer ser, ter e atingir na vida. Se você quiser ser o melhor pai do mundo, visualize-se rindo e brincando com os seus filhos, respondendo às perguntas deles de coração aberto. Visualize-se agindo com graça e amor numa situação tensa. Ensaie mentalmente a maneira pela qual conduzirá as suas ações no momento em que uma cena semelhante aconteça na vida real.

"A magia da visualização pode ser aplicada a muitas situações. Você pode utilizá-la para ser mais eficiente num tribunal, para melhorar os seus relacionamentos ou para se desenvolver espiritualmente. O uso regular desse método também lhe trará recompensas financeiras e uma abundância de ganhos materiais, se isso for importante para você. Entenda de uma vez por todas que a sua mente tem um poder magnético para atrair tudo o que você deseja. Se há uma carência na sua vida é porque há uma carência nos seus pensamentos. Grave imagens magníficas no olho da sua mente. Uma única imagem negativa é um veneno para esse quadro mental. Assim que você começar a testemunhar a alegria proporcionada por essa técnica milenar, perceberá o potencial infinito da sua mente e começará a abrir o armazém de talentos e energia que no momento está adormecido dentro de você."

Era como se Julian estivesse falando uma língua estrangeira. Eu nunca tinha ouvido alguém falar do poder magnético da mente para atrair a abundância material e espiritual. Nem nunca ouvi alguém falar do poder de visualização e seus efeitos profundos em todos os aspectos do mundo de uma pessoa. No entanto, lá no fundo, eu acreditei no que Julian dizia. Era um homem cujo raciocínio e cuja capacidade intelectual eram impecáveis. Um homem respeitado internacionalmente pelos seus conhecimentos jurídicos. Era um homem que já havia trilhado o caminho que eu agora percorria. Julian tinha encontrado alguma coisa na sua odisseia no Oriente e isso estava claro. Sua vitalidade física, sua evidente tranquilidade e sua nítida transformação confirmavam que eu faria bem em ouvir os seus conselhos.

Quanto mais eu pensava sobre o que estava ouvindo, mais sentido fazia. É óbvio que a mente devia ter muito mais potencial do que a maioria de nós utiliza. De que outra maneira uma mãe poderia levantar um carro absolutamente inamovível para resgatar seu bebê que estava preso embaixo dele? De que outra maneira um praticante de artes marciais poderia quebrar montes de tijolos com um único golpe de mão? De que outra maneira os iogues do Oriente poderiam diminuir os batimentos cardíacos a bel-prazer ou suportar dores intoleráveis sem sequer piscar? Talvez o verdadeiro problema estivesse dentro de mim e fosse a minha descrença em relação aos talentos que todo ser humano possui. Todos os elementos daquela conversa noturna com um ex-advogado milionário que virou monge na cordilheira do Himalaia eram uma espécie de toque de despertar para que eu pudesse extrair o máximo da minha vida.

— Mas fazer esses exercícios no escritório, Julian? — respondi. — Os meus sócios já me consideram um cara esquisito...

— O iogue Raman e todos os sábios com os quais ele vivia geralmente utilizavam um ditado que foi passado através das gerações. É minha honra repassá-lo agora a você, nesta noite que está sendo tão importante para nós dois, verdade seja dita. As palavras são as seguintes: "Não há nada de nobre em ser superior a outra pessoa. A verdadeira nobreza consiste em ser superior ao seu eu anterior." Tudo o que eu quero dizer é que, se você quiser melhorar a sua vida e vivenciar tudo o que merece, precisa *dispu-*

tar a sua própria corrida. Não interessa o que as outras pessoas vão falar de você. O importante é o que você fala para si mesmo. Não se preocupe com o julgamento dos outros, contanto que você saiba que está fazendo o que é certo. Você pode fazer o que quiser, desde que seja correto, de acordo com a sua consciência e com o seu coração. Nunca se envergonhe de fazer o que é certo. Decida o que você acha correto e foque nisso. E, pelo amor de Deus, nunca caia no hábito mesquinho de medir o que você vale se comparando ao patrimônio das outras pessoas. Como prega o iogue Raman: "Cada segundo que você passa pensando nos sonhos dos outros rouba o tempo de se dedicar aos próprios sonhos."

A essa altura já passava da meia-noite. Mas por incrível que pareça, eu não sentia cansaço algum. Quando comentei isso com Julian, ele sorriu outra vez.

— Você acaba de descobrir mais um princípio para uma vida iluminada. Na maioria das vezes, a fadiga é uma criação mental. A fadiga domina as vidas dos que vivem sem sonhos e sem direção. Deixe-me dar um exemplo. Você já passou uma tarde na sua sala, lendo um processo árido, e a sua mente começou a divagar e você começou a sentir sono?

— Uma vez ou outra, sim — respondi, sem querer revelar que esse era o meu *modus operandi*. — É evidente que a maioria de nós se sente meio sonolento no trabalho de uma maneira habitual.

— Mas, se um amigo ligar e perguntar se você quer ir a um jogo de beisebol na mesma noite ou pedir uma opinião sobre sua técnica no golfe, eu não tenho a menor dúvida de que você iria ficar energizado. Todos os traços de fadiga vão desaparecer. Faz sentido?

— Faz.

Julian sabia que estava indo bem.

— Portanto, o seu cansaço não passa de uma criação mental, um mau hábito que a sua mente cultivou e que age como uma muleta quando você tem que fazer um trabalho tedioso.

Esta noite você obviamente está encantado com a minha história e ansioso por aprender os conhecimentos que me foram revelados. O seu interesse e o seu foco mental dão essa energia a você. Esta noite, a sua mente não se voltou para o passado, nem apontou para o futuro. Ficou totalmente concentrada no presente, nesta nossa conversa. Quando você consistentemente conduz a sua mente para viver no presente, sempre desfrutará de uma energia sem limites, independentemente da hora indicada pelo relógio.

Fiz que sim com a cabeça. A sabedoria de Julian parecia tão óbvia e no entanto tantas dessas coisas jamais haviam me ocorrido. Creio que o senso comum nem sempre seja tão comum. Falei sobre o que o meu pai costumava dizer quando eu crescia: "Apenas aquele que procura, encontrará." Queria muito que ele estivesse presente naquele momento.

O SÍMBOLO

A VIRTUDE

Domine sua Mente

A SABEDORIA

- Cultive sua mente – ela vai dar frutos além das suas expectativas
- Sua qualidade de vida é determinada pela qualidade dos seus pensamentos
- Não existem erros, só lições. Veja os reveses como oportunidades para a expansão pessoal e para o crescimento espiritual

AS TÉCNICAS

O Coração da Rosa

Pensamento Contrário

O Segredo do Lago

CITAÇÃO PARA GUARDAR

O segredo da felicidade é simples: encontre aquilo que você realmente ama e então dirija para lá toda a sua energia. Depois que fizer isso, a abundância vai fluir para a sua vida e todos os seus desejos serão satisfeitos com graça e facilidade.

ALIMENTANDO O SEU FOGO INTERIOR

8

Confie em si mesmo. Crie o tipo de vida que você gostaria de levar a vida inteira. Tire o máximo de si mesmo atiçando aquelas pequenas centelhas interiores de possibilidades e as transformando no fogo da realização.

Foster C. McClellan

— O DIA EM QUE o iogue Raman compartilhou sua pequena fábula mística comigo, lá no alto da cordilheira do Himalaia, foi, em muitos aspectos, bem parecido com o dia de hoje — disse Julian.
— É mesmo?
— O nosso encontro começou num fim de tarde e se estendeu pela noite adentro. Existia tanta química entre nós dois que o ar parecia espocar de eletricidade. Como eu já falei, desde o instante em que conheci Raman, senti que ele era o irmão que eu nunca tive. Hoje, sentado aqui com você e vendo essa expressão de curiosidade no seu rosto, eu sinto o mesmo laço e a mesma energia. Eu também devo dizer que, desde que nós nos tornamos amigos, sempre pensei em você como um

irmão mais novo. Para falar a verdade, eu via muito de mim em você.

— Você era uma fera no tribunal, Julian. Eu nunca vou me esquecer da sua eficiência.

Era evidente que ele não tinha interesse em percorrer o museu de sua vida passada.

— John, gostaria de continuar compartilhando os elementos da fábula do iogue Raman com você, mas, antes de seguir em frente, preciso confirmar uma coisa. Você já aprendeu uma série de estratégias eficazes para a mudança pessoal que vão fazer maravilhas por você, se colocadas regularmente em prática. Vou abrir o meu coração para você esta noite e revelar tudo o que sei, como é o meu dever. Só quero ter certeza de que você compreende de verdade a importância de passar adiante esse conhecimento para quem quer que busque esse tipo de orientação. Nós vivemos num mundo muito problemático, totalmente permeado pela negatividade, e muita gente na nossa sociedade flutua como se estivesse em botes sem remos, almas cansadas procurando um farol que as impeça de bater nas pedras da encosta. Você precisa ser uma espécie de capitão. Estou confiando em você para levar a mensagem dos Sábios de Sivana para todos os necessitados.

Depois de pensar um pouco, prometi a Julian com convicção que eu daria conta dessa incumbência. Ele então prosseguiu, apaixonadamente.

— A beleza de todo esse exercício é que, quando você se esforça para melhorar a vida dos outros, a sua própria vida vai se elevar à mais alta dimensão. Essa verdade se baseia num antigo paradigma para viver de maneira extraordinária.

— Estou ouvindo.

— Basicamente, os sábios do Himalaia guiaram suas vidas por uma regra muito simples: quem serve a mais pessoas colhe os maiores frutos, emocional, física, mental e espiritualmente. Esse é o caminho para a paz interior e a realização exterior.

Eu li em algum lugar que as pessoas que estudam outras pessoas são sábias, mas que aquelas que estudam a si próprias são iluminadas. Aqui, talvez pela primeira vez na vida, eu via um homem que verdadeiramente conhecia a si mesmo, talvez até o seu eu mais elevado. Naquelas roupas austeras, com o meio sorriso de um Buda jovial abençoando seu rosto liso, Julian Mantle parecia ter tudo: felicidade, uma saúde ideal e um sentido extraordinário do seu papel no caleidoscópio do universo. E, no entanto, não possuía um único bem.

— E isso me leva ao farol — disse ele, mantendo-se focado na tarefa daquela noite.

— Eu estava justamente me perguntando como isso se encaixava na fábula do iogue Raman.

— Vou tentar explicar — respondeu ele, parecendo mais um professor do que um advogado que virou monge e renunciou ao mundo dos sentidos. — A essa altura, você já sabe que a mente é como um jardim fértil que, para florescer, precisa que você cuide dele regularmente. Nunca permita que as ervas daninhas dos pensamentos e das ações impuras tomem conta do jardim da sua mente. Fique de guarda no portão de entrada da mente. Mantenha-a forte e saudável — ela vai gerar milagres na sua vida, se você permitir.

"Você deve se lembrar de que, no meio do jardim, ficava um magnífico farol. Esse símbolo indica mais um princípio milenar para atingir uma vida iluminada: *o propósito da vida é uma vida de propósito*. Aqueles que são verdadeiramente iluminados sabem o que querem da vida, emocional, material, física e espiritualmente. Prioridades claramente definidas e objetivos para cada aspecto da sua vida vão desempenhar um papel semelhante ao do farol, lhe oferecendo uma luz guia e um refúgio quando o mar ficar turbulento. Veja você, John, qualquer um pode fazer uma revolução na própria vida se fizer uma revolução na direção em que estiver caminhando. Mas, se você nem souber para onde está indo, como é que vai saber quando chegou aonde queria?

Julian me transportou de volta ao tempo em que o iogue Raman analisou esse princípio com ele. Recordou as palavras exatas do sábio.

— A vida é engraçada — observou o iogue. — Seria de se imaginar que, quanto menos uma pessoa trabalhasse, mais ela teria a oportunidade de experimentar o que é felicidade. No entanto, a verdadeira fonte da felicidade pode ser resumida numa só palavra: *realização*. A felicidade duradoura vem de trabalhar permanentemente para realizar os seus objetivos e de avançar com confiança na direção do objetivo da sua vida. Esse é o segredo para atiçar o fogo que existe dentro de você. Eu entendo que pareça mais do que uma simples ironia que você tenha viajado milhares de quilômetros para longe da sua sociedade tão orientada para as realizações, a fim de falar com um grupo de sábios místicos, que moram no alto das montanhas do Himalaia, só para descobrir que mais um segredo eterno da felicidade pode ser encontrado nas realizações, mas é verdade.

— Esses monges são *workaholics*? — sugeri, brincando.

— Muito pelo contrário. Embora os sábios fossem pessoas incrivelmente produtivas, a produtividade deles não era do tipo frenético. Na verdade, tinha uma qualidade pacífica, focada, quase zen.

— Como assim?

— Tudo o que eles faziam tinha um objetivo. Embora estivessem afastados do mundo moderno e vivessem uma existência altamente espiritual, eles também eram muito eficientes. Alguns passavam os dias polindo tratados filosóficos, outros criavam poemas fabulosos, com um texto riquíssimo, que lhes desafiavam o intelecto e renovavam sua criatividade. E outros passavam o tempo em silêncio e na mais absoluta contemplação, parecendo estátuas iluminadas sentadas na antiga posição de lótus. Os Sábios de Sivana não perdiam tempo. A consciência coletiva deles lhes dizia que suas vidas tinham um objetivo e que eles tinham uma missão a cumprir.

"Foi isso o que o iogue Raman me disse: 'Aqui em Sivana, onde o tempo parece ter parado, você pode se perguntar o que é que esses sábios simples e sem posses precisariam ou gostariam de realizar. Mas as realizações não precisam ser do tipo material. Pessoalmente, os meus objetivos são conquistar a paz de espírito, o autodomínio e a iluminação. Se não conseguir atingir esses objetivos ao fim da minha vida, eu tenho certeza de que vou morrer insatisfeito e não realizado.'"

Julian me contou que essa era a primeira vez que ele tinha ouvido um dos professores de Sivana mencionar a própria mortalidade.

— E o iogue Raman percebeu isso na minha expressão. Ele disse: "Não, não precisa se preocupar, meu amigo. Eu já passei dos 100 anos e não tenho nenhum plano de abandonar a vida em breve. O que eu quero dizer é simples: quando você sabe claramente o que quer atingir ao longo da vida, seja no campo material, emocional, físico ou espiritual, e passa os dias procurando atingir esses objetivos, acabará encontrando a felicidade eterna. A sua vida será tão maravilhosa quanto a minha. E você conhecerá uma realidade magnífica. Mas você precisa estar ciente do objetivo da sua vida e então transformar essa visão em realidade através de ações consistentes. Nós, os sábios, chamamos isso de *Darma*, que em sânscrito significa *o objetivo da vida*.

— E a felicidade eterna vai vir da realização do meu Darma?

— Com certeza. Do Darma sai a harmonia interior e a satisfação duradoura. O Darma se baseia naquele princípio antigo que diz que cada um de nós tem uma missão heroica enquanto caminha nesta terra. Todos nós recebemos um conjunto único de talentos que nos permite realizar plenamente a obra desta vida. A chave é descobri-los e, ao fazer isso, descobrir o objetivo principal da sua vida.

Interrompi Julian:

— É mais ou menos o que você tinha comentado antes sobre correr riscos.

— Pode ser, ou não.

— Não estou entendendo.

— Sim, pode parecer que você está se vendo obrigado a correr alguns riscos para descobrir aquilo em que é melhor e a essência do seu objetivo de vida. Muita gente larga o emprego que estava sufocando o seu progresso na hora em que descobre o verdadeiro propósito de sua existência. Sempre há um risco quando lidamos com introspecção e autoanálise. Mas, por outro lado, não, porque nunca é arriscado se conhecer e descobrir a sua missão na vida. O autoconhecimento é o DNA da autoiluminação. É algo muito bom e, inclusive, essencial.

— Qual é o seu Darma, Julian? — perguntei, casualmente, tentando mascarar minha imensa curiosidade.

— O meu é muito simples: servir aos outros, altruisticamente. Lembre-se de que você não vai encontrar nenhuma verdadeira alegria dormindo, relaxando ou desperdiçando o seu tempo no ócio. Como disse Benjamin Disraeli: "O segredo do sucesso é ter um propósito permanente." A felicidade que você está procurando vem através da reflexão sobre os valorosos objetivos que você se dedica a conquistar e então agindo diariamente para ir atrás deles. Essa é uma aplicação direta da filosofia eterna que prescreve que as coisas mais importantes nunca devem ser sacrificadas em favor das menos importantes. O farol na fábula de Raman sempre lhe lembrará o poder de estabelecer metas objetivas e claramente definidas e, acima de tudo, de ter a força de caráter para colocá-las em prática.

No decorrer das horas seguintes, aprendi com Julian que todas as pessoas altamente realizadas compreendem a importância de explorar seus talentos, descobrir seu objetivo pessoal e então aplicar os talentos na direção dessa vocação. Algumas pessoas servem à humanidade altruisticamente como médicos, outras como artistas. Alguns descobrem que são comunicadores poderosos e viram professores magníficos, enquanto outros vêm a perceber que seu legado vão ser inovações num campo da ciência ou dos negócios. A chave é ter a disciplina e a visão para enxergar a sua missão heroica e se certificar de que ela vai servir aos outros enquanto você a praticar.

— E isso é uma forma de estabelecer metas?

— Estabelecer metas é o ponto de partida. Mapear os seus objetivos e as suas metas libera os fluidos criativos que colocam você no caminho do seu objetivo. Acredite se quiser, o iogue Raman e os outros sábios levam os objetivos deles muito a sério.

— Tá de brincadeira. Monges altamente eficientes morando reclusos no Himalaia passam a noite inteira meditando e o dia inteiro estabelecendo metas. Adorei!

— John, julgue sempre pelos resultados. Olhe só para mim. Às vezes eu mesmo não me reconheço quando me olho no espelho. Minha antiga existência, que não me realizava, deu lugar a uma vida cheia de aventuras, mistério e animação. Voltei a ser jovem e tenho uma saúde vibrante. Sou feliz de verdade. O conhecimento que estou dividindo com você é *tão* potente, *tão* importante e *tão* gratificante que você simplesmente precisa se abrir para ele.

— Eu *estou* aberto. Estou mesmo. Tudo o que você falou faz muito sentido, embora algumas dessas técnicas pareçam um pouco esquisitas. Mas eu prometi que vou experimentá-las e vou mesmo. Concordo que essas informações são poderosas.

— Se eu vi mais longe que os outros foi apenas porque me sentei nos ombros de grandes mestres — respondeu Julian, humildemente. — Aqui vai mais um exemplo. O iogue Raman era um arqueiro de primeira linha, um verdadeiro mestre. Para ilustrar sua filosofia sobre a importância de estabelecer objetivos claramente definidos em cada aspecto da vida e realizar sua missão, ele fez uma demonstração que eu nunca mais vou me esquecer.

"Perto de onde nós estávamos havia um magnífico carvalho. O sábio tirou uma rosa da grinalda que ele usava habitualmente e colocou-a no meio do tronco. Depois tirou três objetos da mochila que era sua companheira inseparável sempre que ele se aventurava a lugares mais distantes na montanha, como aquele em que estávamos. O primeiro objeto foi o seu arco favorito, feito de madeira de sândalo bastante sólida, mas incrivelmente cheirosa. O segundo objeto foi uma flecha. E o terceiro foi um lenço branco como um lírio, do tipo que eu usava no bolso dos meus ternos caros para impressionar juízes e jurados", acrescentou Julian, como que pedindo desculpas.

O iogue Raman então pediu a Julian para colocar o lenço sobre os seus olhos, como uma venda.

— A que distância eu estou da rosa? — perguntou, então, ao discípulo.

— Uns trinta metros — chutou Julian.

— Você já me viu praticando diariamente esse velho esporte do arco e flecha — perguntou o mestre, sabendo perfeitamente a resposta que viria.

— Eu já vi você acertar na mosca de quase cem metros de distância e não me lembro de uma única vez que você tenha errado da distância atual — comentou Julian, objetivamente.

E então, com os olhos cobertos pelo lenço e os pés devidamente plantados na terra, o professor puxou o arco com toda a sua energia e liberou a flecha — mirando diretamente na rosa pendurada na árvore. A flecha acertou o enorme carvalho com um baque surdo, errando o alvo por uma distância constrangedoramente grande.

— Pensei que você fosse demonstrar um pouco mais da sua capacidade mágica, iogue. O que foi que aconteceu?

— Nós viajamos até este lugar isolado por uma única razão. Eu concordei em revelar toda a minha sabedoria para você. Essa demonstração de hoje tem o objetivo de reforçar o meu conselho sobre a importância de estabelecer objetivos claramente definidos na vida e saber exatamente para onde você está indo. O que você acabou de ver confirma o princípio mais importante para qualquer um que busque atingir seus objetivos e cumprir sua missão na vida: *você nunca vai conseguir acertar um alvo que não consegue ver*. As pessoas passam a vida inteira sonhando em ser mais felizes, ter mais vitalidade e paixões avassaladoras. No entanto, elas não percebem a importância de dedicar míseros dez minutos por mês para pôr seus objetivos no papel e refletir profundamente sobre o propósito de suas vidas, o seu Darma. Estabelecer metas vai fazer a sua vida ser maravilhosa. O seu mundo vai ficar mais rico, mais impressionante e mais mágico.

"Você entende, Julian, os nossos antepassados nos ensinaram que estabelecer objetivos claramente definidos para o que nós desejamos no plano mental, físico e espiritual é crucial para a realização desses objetivos. No mundo de onde você veio, as pessoas estabelecem metas financeiras e materiais. Não há nada de errado nisso, se for apenas isso que você valoriza. No entanto, para atingir o autodomínio e a iluminação interior, você também precisa estabelecer objetivos concretos em outras áreas da vida. Será que você ficaria surpreso ao saber que eu tenho objetivos claramente definidos quanto ao tipo de paz de espírito que desejo atingir, à energia que quero trazer para cada dia e ao amor que quero dar a todas as pessoas ao meu redor? O estabelecimento de metas não é só para os ilustríssimos advogados como você, que moram num mundo cheio de atrações materiais. Qualquer um que deseje melhorar a qualidade do seu mundo interior, assim como do mundo exterior, faria muito bem em pegar um pedaço de papel e começar a escrever os objetivos de sua vida. Na hora em que isso for feito, as forças da natureza vão entrar em ação e começar a transformar esses sonhos em realidade."

Suas palavras estavam me deixando fascinado. Quando eu jogava futebol no ensino médio, o meu técnico falava constantemente da importância de sabermos o que nós queríamos de cada jogo. "Tenha na cabeça os resultados que você almeja" era a sua crença pessoal, e o nosso time nem sonharia em entrar em campo sem um plano de jogo claro que nos levasse à vitória. Eu me perguntei por que, quando cresci, nunca tinha tirado um tempo para traçar um plano de jogo para a minha própria vida. Talvez Julian e o iogue Raman tivessem razão nesse ponto.

— E o que há de tão especial em pegar um pedaço de papel e colocar as metas por escrito? Como é que uma ação assim tão simples pode fazer tanta diferença? — perguntei.

Julian estava maravilhado.

— O seu interesse tão evidente me inspira, John. O entusiasmo é um dos ingredientes-chave para uma vida de sucesso e fico feliz de ver que você ainda não perdeu nem um grama sequer do seu. Mais cedo eu ensinei que todos nós temos uns 60 mil pensamentos num dia comum. Ao anotar seus desejos e suas metas num papel, você levanta uma bandeira vermelha para o seu subconsciente de que esses pensamentos são muito mais importantes do que os outros 59.999. E aí a sua mente vai começar a procurar oportunidades para realizar o seu destino como um míssil teleguiado. É realmente um processo muito científico. A maioria de nós nem tem consciência disso.

— Alguns dos meus sócios dão muito valor a estabelecer metas. Agora que eu penso nisso, eles são as pessoas mais bem-sucedidas financeiramente que conheço. Mas não acho que sejam as mais equilibradas — comentei.

— Talvez eles não estejam estabelecendo os objetivos certos. Veja, John, a vida lhe dá muito daquilo que você pede a ela. A maioria das pessoas quer se sentir melhor, ter mais energia ou mais satisfação. No entanto, quando você lhes pergunta exatamente o que elas querem, elas não têm uma resposta. Você muda a sua vida no momento em que estabelece as suas metas e começa a procurar o seu Darma — disse Julian, com os olhos faiscando com a verdade das próprias palavras.

"Você já conheceu alguém com um nome meio esquisito e então começou a perceber que esse nome aparece em toda parte: no jornal, na televisão ou no escritório? Ou você já se interessou por um assunto novo, digamos pescaria, e depois percebeu que não podia ir a lugar algum sem ouvir as maravilhas da pescaria? Essa é apenas uma ilustração de um princípio que atravessou os tempos e que o iogue Raman chamava de *joriki*, que eu descobri que significa mente concentrada. Concentre cada grama da sua energia mental na autodescoberta. Descubra aquilo em que você se destaca e que faz você feliz. Talvez você esteja advogando, mas o que nasceu mesmo para ser é professor, porque tem paciência e gosta de ensinar. Talvez você seja um pintor ou um escultor frustrado. Seja lá qual for, encontre a sua paixão e vá atrás dela."

— Agora que realmente paro para pensar nesse assunto, seria muito triste chegar ao fim da vida sem perceber que eu tinha algum dom especial que poderia ter desabrochado o meu potencial e ajudado os outros, mesmo que de uma maneira mais simples.

— É isso aí. Por isso, de agora em diante, esteja sempre consciente do seu objetivo na vida. Desperte a sua mente para a abundância de possibilidades à sua volta. Comece a viver com mais disposição. A mente humana é o maior filtro do mundo. Quando usada adequadamente, ela filtra o que você acha que não é importante e dá somente a informação que você está procurando naquela hora. Neste exato instante, enquanto nós estamos aqui sentados na sua sala, existem centenas, se não milhares de coisas acontecendo a que nós não estamos prestando atenção. Há o barulho dos namorados rindo enquanto passeiam na calçada da praia, o peixinho dourado no aquário atrás de você, o vento fresco saindo do ar-condicionado e até as batidas do meu coração. Na hora em que decido me concentrar no meu coração, começo a perceber o ritmo e as qualidades que ele tem. Da mesma maneira, quando você decide concentrar a mente nos objetivos principais da sua vida, ela começa a filtrar o que não é importante e se concentra apenas no que é importante.

— Para falar a verdade, acho que está mais do que na hora de descobrir o meu propósito — falei. — Por favor, não me entenda mal, tem muita coisa boa na minha vida. Mas não acho que elas sejam tão gratificantes quanto deveriam ser. Se eu morresse hoje, não poderia afirmar com segurança que fiz uma grande diferença.

— E como é que isso faz você se sentir?

— Deprimido — respondi, com absoluta sinceridade. — Eu sei que tenho talentos. Na verdade, eu era um artista e tanto quando mais jovem. Isso foi até a profissão de advogado me chamar com a promessa de uma vida mais estável.

— E você ainda pensa em virar pintor profissional?

— Eu realmente não penso muito nisso. Mas uma coisa é certa. Quando pintava, eu me sentia no paraíso.

— E isso realmente deixava você animado, não é?

— Totalmente. Eu perdia a noção do tempo quando pintava no estúdio. Ficava absorvido pela tela. Para mim, era uma verdadeira libertação. Era quase como se eu transcendesse o tempo e entrasse numa outra dimensão.

— John, esse é o poder de concentrar a sua mente num objetivo que você ama. Goethe dizia que "nós somos formados e moldados pelo que amamos". Talvez o seu Darma seja iluminar o mundo com lindas paisagens. Pelo menos passe um pouco de tempo pintando, todo dia.

— E que tal aplicar essa filosofia a coisas menos esotéricas do que mudar de vida? — perguntei, com um sorriso.

— Pode ser — respondeu ele. — Como o quê, por exemplo?

— Vamos dizer que um dos meus objetivos, ainda que menor, seja me livrar desse pneuzinho que eu tenho na cintura. Por onde deveria começar?

— Não se sentindo constrangido. Você domina a arte de estabelecer metas (e de atingi-las) começando devagar.

— Tipo uma viagem de mil quilômetros começa sempre com o primeiro passo? — perguntei, intuitivamente.

— Exatamente. E ser bem-sucedido nas pequenas realizações prepara a pessoa para grandes realizações. Por isso, para responder diretamente à sua pergunta, não há nada de errado em planejar um monte de objetivos menores, enquanto são planejados os objetivos maiores.

    Julian contou que os Sábios de Sivana criaram um método de cinco passos para alcançar suas metas e realizar o propósito de suas vidas. Era simples, prático e eficaz. O primeiro passo era formar uma imagem clara do resultado na mente. Se fosse para perder peso, Julian disse que, todo dia de manhã, assim que eu acordasse, deveria me imaginar como uma pessoa magra e em forma, cheia de vitalidade e uma energia sem limites. Quanto mais clara a minha imagem mental, mais eficaz seria o processo. Segundo ele, a mente é o supremo reservatório de poder e o simples ato de "visualizar" a minha meta abriria as portas para a realização desse desejo. O segundo passo seria exercer um pouco de pressão positiva sobre mim mesmo.

    — A principal razão pela qual as pessoas não dão sequência às suas decisões é que elas permitem que seja fácil demais voltar ao velho modo de agir. A pressão nem sempre é algo negativo. Ela pode ajudá-lo a realizar metas incríveis. As pessoas geralmente conquistam coisas maravilhosas quando estão com as costas na parede e se veem obrigadas a acionar a fonte de potencial humano que existe dentro delas.

    — E como é que eu posso criar essa "pressão positiva" sobre mim mesmo? — perguntei, pensando agora nas possibilidades de aplicar esse método a tudo, desde acordar mais cedo até ser um pai mais paciente e amoroso.

    — Há inúmeras maneiras de fazer isso. Uma das melhores é assumir isso publicamente. Diga a todo mundo que você conhece que vai perder os seus pneuzinhos, ou escrever aquele romance, ou seja lá qual for a sua meta. Uma vez que você fez o mundo saber do seu objetivo, vai surgir uma pressão imediata para você trabalhar em direção à realização, já que ninguém gosta de parecer um fracassado. Em Sivana, meus professores usavam uma maneira mais dramática para criar esse tipo de pressão positiva. Eles declaravam uns aos outros que, se não honrassem os seus compromissos, como jejuar por uma semana ou acordar diariamente às quatro da manhã para meditar, iriam até a cachoeira de água gelada e ficariam embaixo dela até os braços e as pernas ficarem dormentes. Essa é uma ilustração extrema do poder que a pressão pode exercer na construção de bons hábitos e no cumprimento de metas.

— "Extremo" parece um eufemismo, Julian. Isso parece um ritual tenebroso!

— No entanto, é extremamente eficaz. A questão é simplesmente que, quando você treina a sua mente a associar o prazer com os bons hábitos e a punição com os maus, suas fraquezas vão desaparecer rapidamente.

— Você disse que eram cinco passos a se seguir para fazer os desejos se tornarem realidade — falei, impaciente. — Quais são os outros três?

— Sim, John. O primeiro passo é ter uma visão clara do resultado que você deseja. O segundo é criar uma pressão positiva para se manter inspirado. O terceiro passo é muito simples: nunca estabeleça uma meta sem especificar um prazo para ela. Para dar vida à sua meta você tem que atrelar a ela um prazo específico. É igual a quando você prepara um processo para um julgamento. Você sempre concentra a sua atenção naqueles cuja audiência esteja marcada para amanhã, em vez dos que ainda não têm uma data marcada.

"Ah e, a propósito", explicou Julian, "lembre-se de que uma meta que não foi posta no papel não é realmente uma meta. Vá a uma papelaria e compre um diário, um caderno de espiral barato é o suficiente. Chame-o de Livro de Sonhos e encha-o com os seus desejos, sonhos e objetivos. Conheça a si mesmo e do que você é feito".

— E será que eu ainda não me conheço?

— A maioria das pessoas não se conhece. Nunca dedicam parte de seu tempo para avaliar suas forças, suas fraquezas, seus sonhos e suas expectativas. Os chineses definem uma imagem da seguinte maneira: existem três espelhos que formam o reflexo de uma pessoa. O primeiro é a maneira como ela se vê, o segundo é como os outros a veem e o terceiro reflete a verdade. Conheça a si mesmo, John. Saiba qual é a verdade.

"Divida o seu Livro de Sonhos em seções separadas para objetivos que reflitam os diferentes setores da sua vida. Por exemplo, você pode ter uma seção para os seus objetivos de atividade física, suas metas financeiras, metas de aprimoramento pessoal, sociais e de relacionamento e, talvez o mais importante, seus objetivos espirituais."

— Epa, isso parece ser bem divertido! Eu nunca pensei em fazer nada tão criativo assim comigo mesmo. Eu realmente devia começar a me desafiar mais.

— Concordo. Outra técnica particularmente eficiente que aprendi é encher o seu Livro de Sonhos com imagens das coisas que você deseja e imagens das pessoas que cultivaram esses talentos, habilidades e qualidades que você espera poder imitar. Voltando ao seu caso e ao seu "pneuzinho", se você quiser perder peso e ficar numa forma excelente, cole uma foto de um corredor de maratona ou de algum atleta de elite no seu Livro de Sonhos. Se você quiser ser o melhor marido do mundo, por que não colar uma foto de alguém que represente isso — quem sabe o seu pai — e colocá-la no diário, na seção de relacionamentos. Se você sonha com uma casa de praia ou um carro bacana, encontre uma imagem inspiradora desses objetos e coloque-os no seu Livro de Sonhos. E então passe a ler esse diário todos os dias, mesmo que só por alguns minutos. Faça com que ele seja seu amigo. Os resultados vão surpreendê-lo.

— Tudo isso é uma revolução, Julian. Quer dizer, embora essas ideias já existam há séculos, todo mundo que eu conheço pode melhorar a qualidade da vida diária pondo em prática pelo menos algumas delas. A minha mulher adoraria ter um Livro de Sonhos. Ela provavelmente o encheria de imagens de mim sem essa pança enorme.

— Ela não é tão grande assim — sugeriu Julian, em tom de consolo.

— Então por que a Jenny fica me chamando de Seu Rosquinha? — perguntei, abrindo um largo sorriso.

Julian começou a rir e não consegui me controlar. Logo, logo nós dois estaríamos rolando no chão.

— Imagino que, se alguém não é capaz de rir de si mesmo, vai conseguir rir do quê? — falei, ainda sorrindo.

— Essa é uma grande verdade, meu amigo. Quando vivia preso ao meu antigo estilo de vida, um dos meus maiores problemas é que eu levava a vida a sério demais. Agora sou muito mais brincalhão e cultivo meu lado criança. Curto todas as bênçãos da vida, não importa o quanto elas sejam pequenas.

"Mas acabei me afastando do que queria dizer. Eu tenho tanta coisa a falar, que está tudo saindo de uma vez só. Voltando ao método dos cinco passos para atingir as suas metas e realizar suas aspirações, uma vez que você tenha formado um quadro claro do resultado que você deseja e tenha criado uma pequena fonte de pressão, estabelecido um prazo e o colocado no papel, o próximo passo é pôr em prática o que o iogue Raman chamava de Regra Mágica dos 21. Os estudiosos do mundo acreditavam que, para um novo comportamento se cristalizar e virar um hábito, uma pessoa tem que desempenhar a nova atividade por 21 dias consecutivos."

— E o que há de tão especial nesses 21 dias?

— Os sábios eram mestres absolutos em criar hábitos novos e mais compensadores que regiam e conduziam as suas vidas. O iogue Raman uma vez me disse que um mau hábito, depois de adquirido, nunca pode ser apagado.

— Mas a noite inteira você veio me inspirando a mudar a maneira como eu levo a minha vida. Como serei capaz de fazer isso se nunca conseguirei apagar os meus maus hábitos?

— Eu disse que os maus hábitos não podem ser apagados. Eu não disse que eles não podem ser substituídos — observou Julian, com precisão.

— Ah, Julian, você sempre foi o rei da semântica. Mas acho que entendi o que você quer dizer.

— A única maneira de instalar permanentemente um hábito novo é dirigir tanta energia em direção a ele que o antigo simplesmente sai de fininho, como um hóspede que não é mais bem-vindo. Essa substituição normalmente se completa em cerca de 21 dias, que é o tempo necessário para se criar um novo caminho neural.

— Digamos então que eu comece a praticar a técnica do Coração da Rosa para apagar o hábito de ficar preocupado e viver num ritmo mais tranquilo. Eu tenho que fazer isso na mesma hora, todos os dias?

— Boa pergunta. A primeira coisa que vou dizer é que você nunca *tem* que fazer coisa alguma. O que estou compartilhando com você esta noite faz parte do meu papel de amigo, pois estou verdadeiramente interessado no seu crescimento e desenvolvimento. Todas essas estratégias, técnicas e ferramentas tiveram a eficácia testada ao longo dos anos, com resultados mensuráveis. Isso eu posso garantir. E, embora o meu coração me diga que eu devia implorar a você para tentar todos os métodos dos sábios, a minha consciência me diz que devo cumprir apenas o meu dever e compartilhar a minha sabedoria com você, deixando a implementação por sua conta. O que quero dizer é o seguinte: nunca faça alguma coisa porque você *tem* que fazer. O único motivo para se fazer alguma coisa é porque você *quer* e porque sabe que é a coisa certa a se fazer.

— Parece bem sensato, Julian. Mas não precisa se preocupar. Eu não pensei, nem por um momento, que você estivesse me empurrando essas informações goela abaixo. De qualquer maneira, acho que a única coisa que poderia ser me empurrada goela abaixo atualmente seria uma caixa de rosquinhas, e nem seria preciso muito esforço — brinquei.

Julian sorriu, alegre.

— Obrigado, amigo. Agora, respondendo à sua pergunta, a minha sugestão é que você experimente fazer o exercício do

Coração da Rosa todos os dias, na mesma hora e no mesmo local. Há um poder imenso nos rituais. Os atletas de primeira linha que comem o mesmo tipo de refeição ou amarram os sapatos da mesma maneira antes de um grande jogo estão explorando esse poder do ritual. Os membros de uma igreja que fazem os mesmos ritos e usam as mesmas vestimentas estão fazendo uso do poder dos rituais. Até mesmo os empresários que pegam o mesmo trajeto ou falam da mesma maneira antes de uma grande apresentação aplicam o poder do ritual. Veja, quando você insere qualquer atividade na sua rotina, fazendo-a do mesmo jeito, à mesma hora, todos os dias, ela rapidamente se torna um hábito.

"Por exemplo, a maioria das pessoas faz a mesma coisa quando acorda, sem pensar muito no que está fazendo. Elas abrem os olhos, saem da cama, vão ao banheiro e começam a escovar os dentes. Assim, ficar com o seu objetivo por 21 dias e fazer a mesma atividade na mesma hora em cada um desses 21 dias vai estabelecer uma rotina. Logo você vai estar incorporando esse novo hábito, seja a meditação, seja acordar mais cedo ou ler por uma hora todos os dias, com a mesma facilidade que você escova os dentes."

— E qual é o último passo para se atingir uma meta e avançar em direção aos objetivos?

— O último passo, pelo método dos sábios, é um que se aplica à medida que se avança no caminho da vida.

— Eu ainda estou boiando — falei, respeitosamente.

— Curta o processo. Os Sábios de Sivana geralmente usavam essa filosofia. Eles sinceramente acreditavam que um dia sem riso, ou um dia sem amor, era como um dia sem vida.

— Eu não sei se estou acompanhando.

— Tudo o que quero dizer é para você tratar de se divertir enquanto estiver avançando em direção às suas metas e aos seus objetivos. Nunca se esqueça da importância de viver com um entusiasmo desenfreado. Nunca se esqueça de ver a beleza extraordinária em todos os seres vivos. O dia de hoje e este momento que eu e você estamos compartilhando são uma dádiva. Fique sempre alegre, bem-humorado e curioso. Concentre-se na obra da sua vida e em prestar um serviço desinteressado aos outros. O universo cuidará do resto. Essa é uma das leis mais verdadeiras da natureza.

— E nunca se arrepender do que aconteceu no passado?
— Exatamente. Não existe caos no universo. Existe um propósito em tudo aquilo que já lhe aconteceu e em tudo aquilo que ainda vai acontecer. Lembre-se do que eu falei, John. Toda experiência oferece lições. Por isso, deixe de se apegar a coisas pequenas e curta a sua vida.
— E é só isso?
— Não, eu ainda tenho muitos conhecimentos para repartir com você. Você está cansado?
— Nem um pouco. Na verdade, eu estou até bem animado. Você é um bom motivador, Julian. Já pensou em fazer uma daquelas propagandas no Shoptime? — perguntei, brincando.
— Não entendi.
— Deixa para lá. Foi só uma pobre tentativa de fazer uma piada.
— Muito bem. Antes de continuar com a fábula do iogue Raman, existe uma última questão sobre atingir os sonhos e as metas que eu preciso que você saiba.
— Vamos lá.
— Existe uma palavra que os sábios pronunciam com a maior reverência.
— E qual é?
— Essa simples palavra parecia carregar um enorme significado para eles e aparecia sempre nas conversas diárias. A palavra é *paixão*, e você tem que mantê-la na linha de frente da sua mente enquanto prossegue na sua missão e busca atingir as suas metas. Uma paixão que arde dentro de você é o combustível mais potente para os seus sonhos. Aqui, na nossa sociedade, nós perdemos a nossa paixão. Nós não fazemos as coisas porque amamos fazê-las.

Nós fazemos porque achamos que é o que tem que ser feito. É a própria fórmula para a infelicidade. E eu não estou falando de uma paixão romântica, embora esse seja mais um ingrediente para uma existência inspirada e bem-sucedida. Retome a alegria de acordar todo dia de manhã cheio de energia e radiante. Ponha o fogo da paixão em tudo o que você faz e logo vai colher grandes recompensas materiais e espirituais.

— Do jeito que você fala, parece ser muito fácil.

— E é. A partir desta noite, assuma controle total da sua vida. Decida, de uma vez por todas, que você é o mestre do seu destino. Dispute a sua própria corrida. Descubra a sua vocação e você começará a vivenciar o êxtase de uma vida inspirada. Por fim, saiba sempre que tudo o que está atrás de você e tudo o que está à sua frente não são nada comparado ao que está dentro de você.

— Obrigado, Julian. Eu realmente precisava ouvir isso. Até hoje, nunca me toquei de tudo o que faltava na minha vida. Eu simplesmente vivia andando sem rumo por aí, sem um verdadeiro objetivo. Mas agora será diferente. Eu prometo. Sou muito grato por isso.

— De nada, meu amigo. Eu só estou cumprindo o *meu* propósito.

◎ O SÍMBOLO ◎

◎ A VIRTUDE ◎
Corra Atrás do seu Objetivo

◎ A SABEDORIA ◎
O propósito da vida é uma vida de propósito

Descobrir e depois realizar a obra de
uma vida traz a felicidade duradoura

Estabeleça metas pessoais, profissionais e espirituais claramente
definidas e tenha a coragem de colocá-las em ação

◎ AS TÉCNICAS ◎
O Poder da Autoanálise

O Método dos 5 Passos para Conquistar Seus Objetivos

◎ CITAÇÃO PARA GUARDAR ◎
Nunca se esqueça da importância de viver com entusiasmo desenfreado. Nunca se esqueça de ver a beleza extraordinária em todos os seres vivos. O dia de hoje é uma dádiva. Fique focado no seu objetivo. O universo cuidará do resto.

A ARTE DA AUTOLIDERANÇA   9

As boas pessoas estão sempre se fortalecendo.

Confúcio

— O TEMPO ESTÁ VOANDO — disse Julian, antes de se servir de mais uma xícara de chá. — Logo, logo já vai ser dia. Você quer que eu continue ou já basta para uma noite?

Em hipótese alguma eu estava disposto a deixar esse homem, que tinha tantas pérolas de sabedoria nas mãos, sair sem terminar a história. No começo, a narrativa parecia fantástica. Mas, enquanto o ouvia, enquanto absorvia aquela filosofia cuja origem se perdera no tempo, comecei a acreditar profundamente no que ele estava dizendo. Essa não era a conversa barata de um camelô de meia-tigela. Julian era real. Ele era a prova viva de tudo o que falava. E a mensagem tinha tudo para ser verdadeira. Eu confiava nele.

— Por favor, continue, Julian, eu tenho todo o tempo do mundo. Os meus filhos estão dormindo na casa dos avós e a Jenny ainda vai demorar até acordar.

Percebendo a minha sinceridade, ele continuou com a fábula simbólica que o iogue Raman havia contado para ilustrar a sabedoria de se cultivar uma vida mais rica e radiante.

— Eu já disse que o jardim representa o campo fértil que é a sua mente, um jardim que está cheio de tesouros e riquezas sem limites. Também já expliquei que o farol representa o poder de ter objetivos e a importância de descobrir a própria vocação na vida. Você deve se lembrar de que, na sequência da fábula, a porta do farol se abre devagar e de lá sai um lutador de sumô japonês, de três metros de altura e que pesa 400 quilos.

— Isso está com cara de ser um daqueles filmes toscos do Godzilla.

— Adorava esses filmes quando era criança.

— Eu também. Mas não quero distrair você — respondi.

— O lutador de sumô representa um elemento muito importante no sistema dos Sábios de Sivana para mudar a vida. O iogue Raman me disse que, há muitos séculos, no antigo Oriente, os grandes mestres desenvolveram e refinaram uma filosofia chamada *kaizen*. Essa palavra japonesa significa um aperfeiçoamento que nunca tem fim. E essa é a marca registrada de todo ser humano que vive uma existência extraordinária e totalmente consciente.

— Como foi que o conceito de *kaizen* enriqueceu a vida dos sábios? — perguntei.

— Como eu já disse, John, o sucesso no mundo lá fora começa com o sucesso dentro de você. Se realmente está a fim de melhorar o seu mundo exterior, quer seja a sua saúde, os seus relacionamentos ou a sua vida financeira, você precisa, antes, melhorar o seu mundo interior. A maneira mais eficiente de fazer isso é pela prática da melhoria pessoal contínua. O autodomínio é o DNA do domínio da vida.

— Julian, espero que você não se importe com o que vou dizer, mas todo esse papo de "mundo interior" é mais do que esotérico para mim. Lembre que eu sou apenas um advogado de classe média, morando num subúrbio arborizado, com um carro estacionado na calçada e um cortador de grama na garagem.

"Olha. Tudo o que você me disse até aqui faz muito sentido. Aliás, muitas coisas que compartilhou comigo me pareceram apenas bom-senso, embora eu saiba que o bom-senso é muito pouco comum nos dias de hoje. Mas eu tenho que dizer que estou tendo um pouco de dificuldade com esse conceito de *kaizen* e de melhorar o meu mundo interior. Do que é que nós estamos realmente falando?"

Julian foi rápido na resposta.

— Na nossa sociedade, nós rotulamos, com muita frequência, os ignorantes como se fossem fracos. No entanto, aqueles que expressam a sua falta de conhecimento e pedem orientação encontram o caminho da iluminação antes de qualquer outro. As suas perguntas são honestas e me mostram que você está aberto às novas ideias. A mudança é a força mais poderosa na sociedade de hoje. A maioria das pessoas a teme, porém as mais sábias a abraçam. A tradição zen fala da mente de um iniciante: os que mantêm a mente aberta aos novos conceitos — *aqueles cujas xícaras estão sempre vazias* — sempre vão passar para níveis mais altos de realização e satisfação. Nunca relute em fazer as perguntas mais básicas. As perguntas são a maneira mais eficaz de se buscar o conhecimento.

— Ok, obrigado. Mas ainda não ficou claro o que é *kaizen*.

— Quando falo em melhorar o seu mundo interior, estou simplesmente me referindo ao aperfeiçoamento e à expansão pessoal, e isso é a melhor coisa que você pode fazer por si mesmo. Você pode achar que é ocupado demais para se dar ao luxo de se aperfeiçoar, mas isso seria um erro monumental. Veja só: quando você se dá ao trabalho de construir um caráter forte, pleno de disciplina, energia, força e otimismo, pode ter qualquer coisa e fazer qualquer coisa que desejar no mundo exterior. Quando você consegue cultivar uma profunda fé na sua capacidade e um espírito indomável, nada é capaz de impedir que você tenha êxito em todos os seus empreendimentos e que viva de forma altamente recompensadora. Tirar um tempo para dominar a sua mente, cuidar do seu corpo e alimentar a sua alma vai colocá-lo na posição de desenvolver uma vida mais rica e vigorosa. Foi como disse Epiteto, há muitos e muitos anos: "Nenhum homem pode ser livre se não dominar a si mesmo."

— Isso quer dizer que o *kaizen* na verdade é um conceito muito prático.

— Muito. Pense nisso, John: como é que uma pessoa pode comandar uma empresa se não consegue sequer se comandar? Como é que você pode alimentar uma família se não aprendeu sequer a alimentar e a cuidar de si mesmo? Como é que você pode almejar fazer o bem se não consegue sequer se sentir bem? Está vendo aonde eu quero chegar?

Concordei em gênero, número e grau. Essa era a primeira vez que eu pensava seriamente na importância de me melhorar. Sempre pensei que todas aquelas pessoas que eu via no metrô lendo livros do tipo *O Poder do Pensamento Positivo* ou *MegaLiving!* eram pobres almas desesperadas por algum tipo de remédio que as pusesse de volta nos trilhos. Agora percebia que quem se dava ao trabalho de se fortalecer eram as pessoas mais fortes e que era somente melhorando a si mesmo que se podia esperar melhorar os outros. Passei, então, a refletir sobre tudo o que eu poderia melhorar. Eu realmente podia me beneficiar da energia adicional e da saúde que o exercício físico me proporcionaria. Vencer o mau humor e o meu hábito de interromper os outros poderia fazer maravilhas para o meu relacionamento com a minha mulher e os meus filhos. E eliminar o hábito de ficar me preocupando me daria a paz de espírito e a felicidade profunda que eu tanto buscava. Quanto mais refletia, mais possibilidades de aperfeiçoamento eu vislumbrava.

À medida que passei a ver todas as coisas positivas que entrariam na minha vida cultivando bons hábitos, fui ficando animado. Mas percebi que Julian estava falando de algo muito maior do que a importância de praticar um exercício físico diariamente, ou de adotar uma alimentação saudável e um estilo de vida equilibrado. O que ele tinha aprendido no Himalaia era mais profundo e tinha um significado muito maior. Ele falou da importância de construir a força de caráter, de desenvolver uma couraça mental e viver com coragem. Ele me disse que essas três características levariam uma pessoa não só a uma vida virtuosa, mas a uma vida de realizações, satisfação e paz interior. A coragem era uma qualidade que todos seríamos capazes de cultivar e que pagava enormes dividendos a longo prazo.

— E o que a coragem tem a ver com autoliderança e com o desenvolvimento pessoal? — perguntei em voz alta.

— A coragem permite que você dispute a sua corrida. Ela permite que você faça o que quer que queira, porque sabe o que é certo. A coragem dá o autocontrole para persistir onde os outros fracassaram. No fim das contas, o grau de coragem com que vive vai determinar a quantidade de realizações que você vai conseguir. Ela permite que você verdadeiramente realize todas as incríveis maravilhas desse épico que é a sua vida. E aqueles que dominam a si mesmos têm uma enorme coragem.

— Ok. Eu estou começando a entender o poder de trabalhar para me aperfeiçoar. Por onde é que começo?

Julian voltou à conversa com o iogue Raman no alto da cordilheira, naquela que ele lembrava ser uma noite incrivelmente estrelada e gloriosamente bonita.

— No princípio, eu também não entendi bem esse conceito de autodesenvolvimento. Afinal, era um guerreiro durão, formado em Harvard, que não tinha tempo para essas teses esotéricas proferidas por pessoas de cabelos malcortados que perambulavam pelos aeroportos. Mas eu estava errado. Foi essa estreiteza mental que atrapalhou a minha vida durante todos aqueles anos. Quanto mais ouvia o iogue Raman, quanto mais pensava na dor e no sofrimento da minha antiga existência, mais eu apreciava a filosofia do *kaizen*, do enriquecimento constante e infindável da mente, do corpo e da alma na minha nova vida.

— Por que será que ouço tantas vezes a expressão "mente, corpo e alma" atualmente? Parece que eu não posso nem ligar a televisão sem alguém tocar nesse assunto.

— Essa é a tríade dos atributos humanos. Melhorar a sua mente sem cultivar os seus dotes físicos seria uma vitória muito rasa. Elevar a mente e o corpo a um patamar mais alto, sem alimentar a alma, deixaria uma sensação extremamente vazia e de pouca realização. Mas quando você dedica as suas energias a desencadear todo o potencial de todos os três atributos humanos, sente o sabor do êxtase divino de uma vida iluminada.

— Você está me deixando muito animado, meu amigo.

— Quanto à sua pergunta sobre por onde começar, prometo que vou ensinar uma série de técnicas antigas, mas poderosas, em mais alguns minutos. Primeiro deixa eu dividir um exemplo prático com você. Fica na posição de flexão de braço.

"Meu Deus, Julian agora vai virar um sargento do exército", pensei, em silêncio. Mas, curioso e com o intuito de manter a minha xícara vazia, obedeci.

— Agora, faça o máximo de flexões que você puder. Não pare até que realmente tenha certeza de que não aguenta mais.

Cortei um dobrado para fazer o exercício, com meu corpo de 97 quilos que não estava acostumado a nada mais do que caminhar até o McDonald's mais próximo com os meus filhos ou perambular por um campo de golfe com os sócios do escritório. As primeiras 15 flexões foram a mais pura agonia. Com o calor do verão aumentando o meu desconforto, comecei a suar abundantemente. No entanto, estava determinado a não mostrar nenhum sinal de fraqueza e prolonguei o esforço até o momento em que a minha vaidade começou a ceder, assim como os meus braços. Na 23ª flexão, eu desisti.

— Não dá mais, Julian. Estou morrendo. O que você está querendo provar com isso?

— Tem certeza de que não pode fazer nem uma flexãozinha a mais?

— Tenho. Vamos lá, deixa eu parar. A única lição que vou tirar disso é que agora sei o que fazer para ter um infarto.

— Então faz mais dez. Depois, pode descansar — ordenou Julian.

— Você só pode estar brincando!

Mas eu fui em frente. Uma. Duas. Cinco. Oito. E, finalmente, dez. Fiquei estendido no chão, totalmente exausto.

— Eu passei por essa mesmíssima experiência com o iogue Raman na noite que ele me contou a fábula — disse Julian. — Ele me disse que a dor era um excelente mestre.

— E o que é que alguém pode sonhar em conseguir com uma experiência dessas? — perguntei, ofegante.

— O iogue Raman, como aliás todos os Sábios de Sivana, acredita que as pessoas crescem mais quando entram na Zona do Desconhecido.

— Tudo bem. Mas o que isso tem a ver com me obrigar a fazer todas essas flexões?

— Você me disse, depois de ter feito 23, que não conseguia fazer mais nenhuma. Disse que aquele era o seu limite absoluto. Entretanto, quando eu fiz o desafio, você respondeu com mais dez flexões. Tinha mais dentro de você e, quando foi buscar seus recursos, recebeu mais. O iogue Raman me ensinou uma verdade fundamental quando fui seu aluno: "*Os únicos limites para a sua vida são aqueles que você mesmo coloca.*" Quando você se atreve a sair da sua zona de conforto e explora o desconhecido, começa a liberar o seu verdadeiro potencial humano. Esse é o primeiro passo na direção do autodomínio e do domínio sobre toda e qualquer circunstância em sua vida. Quando você se força a ir além dos seus limites, como fez nessa pequena demonstração, desencadeia recursos físicos e mentais que nunca imaginou que existissem.

"Que incrível", pensei. Aliás, pensando bem, eu acabara de ler um livro que afirmava que uma pessoa comum usa apenas uma minúscula fração da capacidade humana. Fiquei pensando no que nós poderíamos fazer se começássemos a utilizar o resto da reserva dos nossos talentos.

Julian sentiu que estava indo bem.

— Pratica-se a arte do *kaizen* se esforçando um pouco mais a cada dia. Dê duro para melhorar o seu corpo e a sua mente. Alimente o seu espírito. Faça as coisas de que você tem medo. Comece a viver com uma energia contagiante e um entusiasmo sem limites. Veja o sol nascer. Dance numa tempestade. Seja a pessoa que você sonha ser. Faça aquelas coisas com que você sempre sonhou, mas que nunca fez porque se enganou pensando que era jovem demais, velho demais, que tinha dinheiro de mais ou de menos. Prepare-se para viver uma vida nas alturas e totalmente esfuziante. No Oriente se diz que a *sorte* favorece a mente preparada. Eu acredito que a *vida* favorece a mente preparada.

Julian continuou seu discurso apaixonado.

— Identifique as coisas que estão atrasando a sua vida. Você tem medo de falar ou tem problema para se relacionar com as pessoas? Você não tem uma atitude positiva, ou precisa de mais energia? Faça uma lista por escrito das suas fraquezas. As pessoas satisfeitas pensam muito mais do que as outras. Tire um tempo para refletir sobre o que pode estar impedindo que você tenha a vida que realmente quer e que, no fundo, pode ter. Uma vez que tenha identificado quais são as suas fraquezas, o próximo passo é encará-las de peito aberto e enfrentar os seus medos. Se você tem medo de falar em público, candidate-se para fazer vinte palestras. Se você tem medo de abrir um novo negócio, ou sair de um relacionamento insatisfatório, invoque cada pedacinho de sua força de vontade e faça o que tem que ser feito. Esse pode ser o primeiro gosto de liberdade verdadeira que você experimenta há anos. O medo não é nada mais que um monstro mental que você criou, um fluxo negativo de consciência.

— O medo não é nada mais que um fluxo negativo de consciência? Dessa eu gostei. Quer dizer que todos os meus medos não passam de uns bichinhos imaginários que invadiram a minha mente ao longo dos anos?

— Exatamente, John. E toda vez que eles impediram que você tomasse um curso de ação, você jogou mais lenha na fogueira. Mas, quando conquista os seus medos, você conquista a sua vida.

— Eu preciso de um exemplo.

— Claro. Falar em público, por exemplo, é uma atividade que a maioria das pessoas teme mais que a própria morte. Quando eu trabalhava no tribunal, conheci até advogados que tinham medo de se dirigir ao júri. Eles faziam qualquer coisa, inclusive acordos para os casos em que seus clientes estavam com a razão, só para evitar a dor de se por de pé num tribunal cheio de gente.

— Eu também já vi isso acontecer.

— E você acha que eles nasceram com esse medo?

— Imagino que não.

— Pense num bebê. Ele não tem limites. A mente dele é um campo exuberante, cheio de potencial e de possibilidades. Se for devidamente cultivado, vai levá-lo à grandeza. Mas, se for preenchido com negatividade, ele vai, na melhor das hipóteses, ser um cara medíocre. O que estou dizendo é o seguinte: nenhuma experiência, seja falar em público ou pedir um aumento ao chefe, nadar num lago ensolarado ou caminhar na praia numa noite de luar, é inerentemente prazerosa ou dolorosa. É o seu pensamento que a transforma em tal.

— Interessante.

— Um bebê pode ser treinado para ver um dia ensolarado e glorioso como deprimente. Uma criança pode ser treinada para ver um cachorrinho como um animal maldoso. Um adulto pode ser treinado para ver uma droga como um veículo prazeroso para se libertar. É só uma questão de condicionamento, não é?

— Claro.

— E o mesmo vale para o medo. Ele é uma resposta condicionada: um hábito que destrói a vida e que pode facilmente consumir sua energia, sua criatividade e seu espírito se você não tomar cuidado. Quando o medo levantar a cabeça feia que ele tem, bata nela rapidamente. A melhor maneira de fazer isso é realizando aquilo que você teme. Entenda a anatomia do medo. É uma criação sua. Como qualquer criação, pode ser destruída com a mesma facilidade com que é construída. Metodicamente, procure e destrua todo medo que penetrou secretamente na fortaleza da sua mente. Isso, por si só, lhe dará uma enorme confiança, felicidade e paz de espírito.

— Será que a mente de uma pessoa pode ficar totalmente livre do medo? — perguntei.

— Ótima pergunta. E a resposta é um forte e inequívoco "sim!". Todos os Sábios de Sivana eram absolutamente destemidos. Dava para perceber na maneira como eles andavam. Dava para perceber quando se olhava fundo nos olhos deles e eu digo ainda mais, John.

— O quê? — perguntei, fascinado pelo que estava ouvindo.

— Eu também não tenho medo. Eu me conheço e aprendi a ver o meu estado natural como sendo o de uma força indomável e de um potencial ilimitado. Só que eu tinha sido bloqueado por todos aqueles anos de autoabandono e de pensamentos desequilibrados. E vou além. Quando você tira o medo da sua cabeça, começa a parecer mais jovem e a sua saúde passa a ser mais vibrante.

— Ah, a velha conexão entre corpo e mente — respondi, tentando mascarar minha ignorância.

— Isso. Os sábios do Oriente já conhecem isso há mais de 5 mil anos. Dificilmente podemos dizer que isso é New Age — falou, com um largo sorriso iluminando o rosto radiante.

"Os sábios compartilharam outro princípio poderoso comigo, sobre o qual eu penso sempre. Acho que vai ser valioso para você, quando percorrer o caminho da autoliderança e do domínio pessoal. Ele me dá motivação em épocas em que estou pouco esforçado. Essa filosofia pode ser resumida da seguinte maneira:

o que separa as pessoas altamente realizadas daquelas que nunca levam uma vida inspirada é que elas fazem aquelas coisas que as menos inspiradas não gostam de fazer — mesmo que elas também não gostem de fazê-lo.

"As pessoas verdadeiramente iluminadas, aquelas que experimentam uma profunda felicidade diariamente, estão preparadas para adiar um prazer de curto prazo em favor de uma realização de longo prazo. Dessa forma, encaram as suas fraquezas e os seus medos de frente, mesmo se o ato de mergulhar na zona do desconhecido trouxer algum desconforto. Elas resolvem viver seguindo a sabedoria do *kaizen*, melhorando cada aspecto de si mesmas continuamente e sem parar. Com o tempo, tarefas que antes eram difíceis se tornam fáceis. Medos que antes lhes impediam de ter toda a felicidade, saúde e prosperidade que elas desejavam desabam como barracas derrubadas por um furacão."

— O que você está sugerindo é que eu tenho que me mudar antes de mudar a minha vida?

— Isso. É como aquela velha história que o meu professor favorito costumava contar quando eu estava na Faculdade de Direito. Uma noite, um pai estava lendo jornal e relaxando depois de um dia tenso no escritório. O filho dele, que queria brincar, estava lhe enchendo o saco. Finalmente, farto daquilo, o pai rasgou um mapa do mundo que aparecia no jornal e o picou em cem pedacinhos. "Aqui, meu filho, tenta reconstruir isso", disse ele, na expectativa de que aquilo mantivesse o filho ocupado pelo tempo suficiente para ele acabar de ler o jornal. Para sua surpresa, o garoto voltou em um minuto, segurando uma colagem perfeita do mapa do mundo. Quando o pai, espantado, quis saber como foi que ele conseguira aquela façanha, o filho sorriu gentilmente e respondeu: "Pai, do outro lado do mapa tinha o retrato de uma pessoa e, depois que eu consertei a pessoa, o mundo ficou em ordem."

— Essa é uma história excelente.

— Sabe, John, as pessoas mais sábias que já conheci, dos Sábios de Sivana até os meus professores de Direito em Harvard, todas parecem conhecer a fórmula-chave da felicidade.

— Continue — disse, com uma ponta de impaciência.

— É exatamente aquilo que falei antes: a felicidade vem com a realização gradual de um objetivo valoroso. Quando você faz aquilo que verdadeiramente ama, está destinado a encontrar um profundo contentamento.

— Se a felicidade chega a qualquer um que faz aquilo que gosta, por que tem tanta gente infeliz no mundo?

— Boa pergunta, John. Fazer o que se ama — seja abrir mão do seu trabalho atual para virar ator, ou gastar menos tempo com as coisas menos importantes para se dedicar ao que é importante — exige uma coragem monumental. Exige que você saia da sua zona de conforto. E a mudança sempre gera certo desconforto, no início. E também traz muitos riscos. Apesar disso, essa é a maneira mais certa de se criar uma vida mais feliz.

— E como alguém pode ter mais coragem?

— É sempre a mesma história: uma vez que você se colocar no lugar, o mundo se endireitará. Quando você domina a sua mente, o seu corpo e a sua personalidade, a felicidade e a abundância fluirão para a sua vida de uma maneira quase mágica. Mas você precisa tirar um tempo diariamente para trabalhar sobre si mesmo, ainda que sejam apenas dez ou quinze minutos.

— E o que o lutador de sumô de 3 metros de altura, pesando 400 quilos, simboliza na fábula do iogue Raman?

— Esse grandalhão vai ser um lembrete constante do poder do *kaizen*, uma palavra japonesa que significa expansão pessoal e progresso constantes.

Em apenas algumas horas, Julian havia revelado as informações mais poderosas — e mais impressionantes — que eu jamais ouvira na vida. Aprendi sobre a mágica que havia na minha mente e sobre os tesouros potenciais que ela continha. Aprendi técnicas extremamente práticas para acalmar a mente e concentrar o seu poder através de sonhos e desejos. Aprendi a importância de ter um objetivo definido na vida e de estabelecer metas claras em todos os aspectos do meu mundo espiritual, pessoal e profissional. E agora fui apresentado ao princípio infinito do autodomínio: o *kaizen*.

— E como posso praticar a arte do *kaizen*?

— Eu vou te passar dez rituais antigos, mas extremamente eficientes, que irão colocá-lo bem no caminho do domínio pessoal. Se você aplicá-los diariamente, acreditando em seu poder, vai observar resultados extraordinários em um mês, a contar de hoje. Se você continuar a colocá-los em prática e incorporar essas técnicas na sua rotina até elas se tornarem hábitos, estará destinado a atingir um estado em que reinará a mais perfeita saúde, energia sem limites e felicidade e paz de espírito duradouras. No fim, você vai alcançar o seu destino divino — porque esse é um direito seu.

"Esses dez rituais me foram apresentados pelo iogue Raman, que tem muita fé na chamada 'singularidade' de cada um deles, e acho que você vai concordar que eu sou a prova viva de que eles funcionam. Só peço que você ouça o que eu tenho a dizer e julgue os resultados por si mesmo."

— Resultados capazes de mudar uma vida inteira em trinta dias? — perguntei, meio cético.

— Exatamente. Mas o preço disso é que você tem que separar pelo menos uma hora por dia por trinta dias seguidos para praticar as estratégias que vou te apresentar. Esse investimento em si mesmo é tudo de que você precisa. E, por favor, não me diga que você não tem tempo.

— O problema é que eu não tenho mesmo — falei, honestamente. — Estou cheio de trabalho e não consigo nem tirar dez minutos para mim, quanto mais uma hora inteira, Julian.

— Como já disse, dizer que você não tem tempo para aprimorar a si mesmo, seja melhorando a mente ou alimentando o espírito, é a mesma coisa que dizer que não tem tempo de parar para abastecer porque está ocupado demais dirigindo. Mais cedo ou mais tarde, vai acabar enguiçando.

— É mesmo?

— É.

— Como?

— Vamos colocar da seguinte maneira. Você é muito parecido com um carro de corrida de alto desempenho que custa milhões de dólares. Uma máquina bem-lubrificada e extremamente sofisticada.

— Oba. Muito obrigado, Julian.

— A sua mente é a maior maravilha do universo e o seu corpo tem a capacidade de realizar feitos surpreendentes.

— Concordo.

— Conhecendo o poder dessa máquina de alta performance e que vale milhões de dólares, seria uma boa ideia andar com ela a toda a velocidade, todos os minutos de todos os dias, sem fazer um pit stop de vez em quando, para deixar o motor esfriar um pouco?

— É claro que não.

— Nesse caso, por que você não separa um pouco de tempo todo dia para fazer o seu pit stop pessoal, para um repouso? Por que não separa um tempo para esfriar o motor de alto desempenho que é a sua mente? Está vendo aonde eu quero chegar? Tirar um pouco de tempo para se renovar é a coisa mais importante que você pode fazer. Ironicamente, tirar um pouco de tempo da sua agenda superatarefada a fim de usá-lo para a melhoria e o enriquecimento pessoal vai aumentar dramaticamente a sua eficiência depois de iniciado o processo.

— Uma hora por dia, durante trinta dias. Isso é tudo de que preciso?

— É a fórmula mágica que sempre procurei. Provavelmente eu teria pagado alguns milhões de dólares por ela nos meus velhos dias de glória, se tivesse entendido a importância que isso tem. E nem sabia que era de graça, como todo o conhecimento que não tem preço. Mas você vai precisar ter disciplina e aplicar diariamente as estratégias que compõem a fórmula, com a mais completa convicção em seu valor intrínseco. Isso não é uma solução rápida. Depois que você entrar, vai ter que se dedicar a elas por muito tempo.

— O que você quer dizer com isso?

— Tirar uma hora por dia para cuidar de si mesmo certamente vai trazer resultados radicais em trinta dias, desde que você aja corretamente. Um mês é o tempo normalmente necessário para instalar por completo um novo hábito. Depois desse período, as estratégias e as técnicas que aprender farão parte de você como se fossem uma segunda pele. A chave é que você precisa continuar praticando isso todo dia se quiser continuar a ver os resultados.

— Tudo bem — concordei.

Era evidente que Julian havia liberado uma fonte de vitalidade pessoal e serenidade interior em sua vida. De fato, a transformação de um velho e doente advogado num filósofo radiante e energizado era um verdadeiro milagre. Naquele momento, decidi dedicar uma hora por dia para implementar as técnicas e os princípios que eu iria ouvir. Decidi me esforçar para me aperfeiçoar, antes de querer mudar os outros — como eu estava habituado. Quem sabe eu não pudesse passar por uma transformação parecida com a de Mantle? Pelo visto valeria a pena tentar.

Naquela noite, sentado no chão da minha abarrotada sala de estar, aprendi o que Julian chamava de "Os Dez Rituais para uma Vida Radiante". Alguns só exigiam um pequeno esforço concentrado da minha parte. Outros podiam ser feitos sem esforço algum. Todos eram instigantes e prometiam a iminência de coisas extraordinárias.

— A primeira estratégia era chamada pelos sábios de Ritual da Solidão. Diz, simplesmente, que a sua agenda diária vai incluir um período obrigatório de tranquilidade.

— E exatamente o que é um período de tranquilidade?

— É um período de tempo, que pode ser de 15 minutos, ou até cinquenta, em que você explora o poder de cura do silêncio e percebe quem realmente é — explicou Julian.

— Como uma espécie de descanso para o motor superaquecido que é a minha vida? — sugeri, com um sorriso faceiro.

— Essa é uma analogia bastante precisa. Você já saiu de carro com a família para uma viagem longa?

— É claro. Todo verão vamos até as ilhas do Sul para passar duas semanas com os pais da Jenny.

— Então. Você faz alguns pit stops ao longo do trajeto?

— Claro. Para comer ou, se eu estiver me sentindo sonolento, tirar um cochilo depois de escutar os meus filhos passarem seis horas brigando no banco de trás.

— Bem, nesse caso pense no Ritual da Solidão como um pit stop para a alma. O objetivo é a própria renovação. Só é possível fazer isso passando um tempo sozinho, envolvido na bela manta do silêncio.

— O que o silêncio tem de tão especial?

— É uma boa pergunta. A solidão e a tranquilidade ajudam a pessoa a fazer a ligação com a sua fonte criativa e liberar a inteligência infinita do universo. Olha só, John, a sua mente é como um lago. No nosso mundo caótico, a mente da maioria das pessoas nunca está tranquila. Nós somos cheios de turbulência interna. No entanto, com o simples fato de separar um tempo para ficar quieto e em silêncio todos os dias, o lago da mente fica liso como um prato de vidro. E essa tranquilidade interna traz consigo uma enorme quantidade de benefícios, inclusive uma profunda sensação de bem-estar, paz interior e energia sem limites. Você vai até dormir melhor e curtir a sensação de um equilíbrio renovado nas suas atividades diárias.

— E onde devo ir para ter um período de tranquilidade?

— Teoricamente, isso pode ser feito em qualquer lugar, no seu quarto ou no seu escritório. O segredo é encontrar um lugar de verdadeira tranquilidade... e beleza.

— O que a beleza tem a ver com isso?

Julian suspirou profundamente.

— Imagens bonitas acalmam uma alma agitada. Um buquê de rosas ou até um simples narciso vão causar um efeito altamente saudável nos seus sentidos e tranquilizá-lo mais do que você pode imaginar. O ideal é que você aprecie esse tipo de beleza num lugar que sirva como o seu Santuário Pessoal.

— O que é isso?

— Basicamente, um local que será o seu lugar secreto para a expansão mental e espiritual. Pode ser o quarto vazio de uma casa ou simplesmente o canto tranquilo de um pequeno apartamento. O importante é reservar um lugar para as suas atividades de renovação, um lugar que esteja ali, quietinho, esperando a sua chegada.

— Eu gosto dessa ideia. Acho que ter um lugar silencioso para ir quando chego em casa do trabalho faria uma grande diferença. Eu conseguiria aliviar a tensão e me liberar do estresse do dia. Provavelmente eu passaria a ser uma companhia muito melhor.

— O que nos leva a outro ponto. O Ritual da Solidão traz mais resultados quando é praticado todos os dias no mesmo horário.

— Por quê?

— Porque aí ele passa a se integrar à sua rotina, como um ritual. Praticada sempre no mesmo horário, dia após dia, essa dose diária de silêncio logo se tornará um hábito que você nunca mais abandonará. E os hábitos positivos inevitavelmente irão guiá-lo ao seu destino.

— Mais alguma coisa?

— Sim. Se for possível, comungue diariamente com a natureza. Um rápido passeio num bosque ou até mesmo alguns minutos cultivando uma horta de tomates no quintal vai reconectá-lo com aquela fonte de tranquilidade que pode estar adormecida dentro de você. Estar com a natureza também permite que você sintonize com a sabedoria infinita da sua essência mais elevada. Esse autoconhecimento vai te levar a dimensões não exploradas do seu poder pessoal. Nunca se esqueça disso — recomendou Julian, num tom de voz apaixonado.

— E esse ritual funcionou bem para você, Julian?

— Sem dúvida. Eu me levanto junto com o sol e a primeira coisa que faço é me dirigir ao meu santuário secreto. Lá, exploro o Coração da Rosa pelo tempo que for necessário. Tem dia que passo horas na mais absoluta contemplação. Em outros, eu só passo dez minutos. O resultado é mais ou menos o mesmo: uma profunda sensação de harmonia interior e uma abundância de energia física. O que me leva à segunda técnica, que é o Ritual Físico.

— Parece interessante. Ele trata do quê?

— Do poder dos cuidados físicos.

— Hein?

— É simples. O Ritual Físico se baseia no princípio segundo o qual quando você cuida do físico, também cuida da mente. E quando você prepara o corpo, também prepara a mente. Quando você treina o seu corpo, treina a sua mente. Dedique algum tempo todos os dias para alimentar o templo do seu corpo através de um exercício vigoroso. Faça o corpo se movimentar e o sangue circular. Você sabia que uma semana tem 168 horas?

— Não, não sabia.

— Pois é. E pelo menos cinco dessas horas devem ser investidas em algum tipo de atividade física. Os Sábios de Sivana praticavam a velha disciplina do ioga para despertar seu potencial físico e viver uma existência forte e dinâmica. Era extraordinário observar aqueles incríveis seres humanos plantando bananeira no meio da aldeia para proteger os seus corpos do envelhecimento!

— Você praticou ioga, Julian? A Jenny começou a praticar no último verão e disse que se sente cinco anos mais jovem.

— Não existe uma estratégia específica que vá transformar magicamente a sua vida, John, sejamos francos. As mudanças profundas e duradouras chegam pela aplicação permanente dos métodos que estou dividindo com você. Mas a ioga é uma maneira extremamente eficaz de liberar suas reservas de vitalidade. Eu pratico ioga todo dia de manhã e é uma das melhores atividades que faço por mim. Ela não só rejuvenesce o meu corpo, como também mantém a minha mente completamente focada. Conseguiu até desbloquear a minha criatividade. É uma disciplina fantástica.

— E os sábios faziam mais alguma coisa para cuidar do corpo?

— O iogue Raman e seus irmãos também acreditavam que caminhar vigorosamente num ambiente natural, seja em trilhas de montanhas, seja em florestas exuberantes, fazia maravilhas para aliviar a fadiga e restaurar o estado natural de vibração do corpo. Quando o tempo estava muito ruim para caminhar, eles se exercitavam dentro das cabanas. Podiam até perder uma refeição, mas nunca perdiam a rotina diária de exercícios.

— O que havia nas cabanas? Bicicletas ergométricas?

— Não exatamente. Às vezes eles faziam posições de ioga. Às vezes, eu via um deles fazendo uma ou duas séries de flexões de braço só com uma das mãos. Eu realmente acho que não importava muito o que eles faziam, desde que movimentassem o corpo e colocassem o ar fresco daquele lugar magnífico dentro dos pulmões.

— E respirar ar fresco faz parte da equação?

— Vou responder a essa pergunta com uma das frases favoritas do iogue Raman: "Respirar corretamente é viver corretamente."

— Respirar é tão importante assim? — perguntei, surpreso.

— Logo que cheguei a Sivana, os sábios me ensinaram que a maneira mais rápida de dobrar ou até triplicar meu nível de energia era aprender a arte de respirar eficazmente.

— Mas todo mundo não respira? Até um bebê recém-nascido respira.

— Para falar a verdade, não, John. Embora a maioria saiba respirar para sobreviver, nós nunca aprendemos realmente a respirar para viver bem. A maioria de nós respira muito superficialmente e, assim, deixa de colher oxigênio suficiente para fazer o corpo funcionar no nível ideal.

— Parece que respirar adequadamente envolve muita ciência.

— E é mesmo. Era exatamente assim que os sábios tratavam esse assunto. A filosofia deles era simples: consuma mais oxigênio através de uma respiração eficiente e libere as suas reservas de energia enquanto recupera o seu estado natural de vitalidade.

— Ok, e por onde é que a gente começa?

— Na verdade, é bem simples. Todo dia, umas duas ou três vezes, tire um minuto para pensar em respirar mais profundamente e com maior eficiência.

— E como é que vou saber se estou respirando com mais eficiência?

— Bem, a sua barriga deve se estender um pouco. Isso indica que você está respirando com o abdômen, o que é bom. Um truque que o iogue Raman me ensinou foi colocar as mãos em cima da barriga. Se ela se mexer quando eu inalar, é sinal de que a técnica de respiração está correta.

— Muito interessante.

— Se você gosta disso, então vai adorar o Terceiro Ritual para uma Vida Radiante.

— Qual?

— O Ritual da Alimentação Viva. No meu tempo de advogado, a minha alimentação era toda composta por bifes, batatas fritas e outros tipos de porcarias. É verdade que eu comia nos melhores restaurantes do país, mas mesmo assim alimentava o meu corpo com porcarias. Eu não sabia disso naquela época, mas essa era uma das minhas maiores fontes de infelicidade.

— É mesmo?

— É. A má alimentação tem um efeito notável. Ela suga toda a sua energia física e mental. Afeta o seu humor e atrapalha a clareza mental. O iogue Raman dizia o seguinte: "A maneira como você alimenta o seu corpo é a maneira como alimenta a sua mente."

— E com isso eu posso imaginar que você tenha mudado a sua alimentação.

— De uma maneira radical. E fez uma diferença incrível na minha aparência e na maneira como eu me sinto. Sempre achei que estava muito acabado por causa de todas as tensões e do estresse do trabalho e porque os dedos enrugados da velhice haviam me tocado. Mas em Sivana aprendi que boa parte da estafa se devia ao péssimo combustível que estava colocando no meu corpo.

— E o que os Sábios de Sivana comiam para ficar tão brilhantes e joviais?

A resposta veio depressa:

— Comidas vivas.

— Hein?

— A resposta são as comidas vivas, ou comidas que não estão mortas.

— Vamos lá, Julian. Que comidas vivas são essas? — perguntei, impaciente.

— Basicamente, comidas vivas são as que são criadas com a interação natural do sol, do ar, da terra e da água. Estou falando de uma dieta vegetariana. Encha o seu prato de verduras frescas, frutas e grãos e você poderá viver para sempre.

— E isso é possível?

— A maioria dos sábios ultrapassara os 100 anos e não mostrava o menor sinal de desaceleração. Na semana passada, li no jornal sobre um grupo de pessoas que mora na pequena ilha de Okinawa, no mar da China. Os pesquisadores estão indo em massa para a ilha porque ficaram fascinados com o fato de ela ter a maior concentração de centenários no mundo.

— E o que foi que descobriram?

— Que uma alimentação vegetariana é um dos principais segredos para a vitalidade.

— Mas esse tipo de alimentação é mesmo saudável? Não me parece que vá me fortalecer. Lembre-se de que eu ainda sou um advogado de litígios muito atribulado.

— Essa é a alimentação que a natureza desejou. Ela é viva, vital e extremamente saudável. Os sábios já fazem essa dieta há milhares de anos. Chamam-na de uma alimentação *sattvic*, ou pura. E quanto à sua preocupação sobre força física, os animais mais fortes do mundo, dos gorilas aos elefantes, são todos orgulhosos vegetarianos. Você sabia que um gorila é trinta vezes mais forte que um homem?

— Obrigado por essa preciosa informação.

— Ouça, os sábios não são pessoas radicais. Toda a sabedoria que eles possuem se baseia no princípio imortal de que "as pessoas devem levar uma vida de moderação e não fazer nada em excesso". Por isso, se gosta de carne, você pode, certamente, continuar comendo. Mas tem que se lembrar de que está ingerindo uma comida morta. Se puder, diminua a quantidade de carne vermelha que você come. Ela é realmente difícil de digerir e, já que a digestão é um dos processos que mais consomem energia no corpo, reservas valiosas são desperdiçadas desnecessariamente por causa desse tipo de comida. Está vendo onde quero chegar? Basta comparar o seu nível de energia depois de comer um bife e depois de comer uma salada. Se você não quiser se tornar 100% vegetariano, pelo menos comece a comer um pouco de salada em todas as refeições ou comer uma fruta de sobremesa. Esse simples ato já vai fazer uma grande diferença na qualidade da sua forma física.

— Isso não me parece tão difícil assim — respondi. — Eu já tinha ouvido falar bastante do poder de uma alimentação 100% vegetariana. Semana passada, a Jenny me falou de um estudo na Finlândia que descobriu que 38% dos novos vegetarianos pesquisados disseram que se sentiam muito menos cansados e muito mais atentos depois de apenas sete meses se alimentado daquela forma. Vou tentar comer uma salada em todas as refeições. Depois de olhar para você, Julian, sou capaz de fazer da salada uma refeição completa.

— Tente por um mês e julgue os resultados pessoalmente. Você vai se sentir fenomenal.

— Muito bem. Se isso é bom para os sábios, vai ser bom para mim também. Prometo que vou tentar. Não parece ser um esforço muito grande e, de todo jeito, eu estou mesmo cansado de acender a churrasqueira toda noite.

— Bem, se eu consegui alertá-lo para a importância do Ritual da Alimentação Viva, acho que você vai adorar o quarto ritual.

— Seu aluno continua com a xícara vazia.

— O quarto é o Ritual do Conhecimento Abundante. Ele se baseia na noção de um aprendizado constante ao longo da vida e na ampliação da sua base de conhecimento para o seu bem e o de todas as pessoas à sua volta.

— Aquela velha máxima de que "conhecimento é poder"?

— Na verdade, é muito mais que isso, John. O conhecimento é só um poder *em potencial*. Para esse poder se manifestar, ele precisa ser aplicado. A maioria das pessoas sabe o que deve fazer em qualquer situação, ou em suas vidas, de maneira geral. O problema é que elas não aplicam ações diárias e consistentes para pôr esses conhecimentos em prática e realizar os seus sonhos. O Ritual do Conhecimento Abundante diz respeito a se tornar um estudioso da vida. Mais importante que isso: ele exige que você utilize o que aprendeu na sala de aula da sua própria vivência.

— E o que o iogue Raman e os outros sábios fazem para praticar esse ritual?

— Eles tinham muitos sub-rituais que faziam no cotidiano, em homenagem ao Ritual do Conhecimento Abundante. Uma das estratégias mais importantes é também uma das mais fáceis. Você pode começar a praticar agora.

— Não vai tomar muito tempo, vai?

Julian sorriu.

— Essas técnicas, dicas e ferramentas que eu estou lhe transmitindo vão levar sua produtividade e eficiência a níveis jamais vistos. Não queira economizar em ninharias para esbanjar em bobagens!

"Pense naquelas pessoas que dizem que não têm tempo de fazer o back-up do computador porque estão ocupadas demais trabalhando com eles. Porém, quando essas máquinas dão defeito e meses de trabalhos importantes se perdem, elas se arrependem por não terem investido alguns minutos por dia para salvar tudo. Você percebe o que eu quero dizer?"

— Que eu devo estabelecer as minhas prioridades?

— Exatamente. Tente não levar a sua vida preso às amarras da sua agenda. Em vez disso, concentre-se naquelas coisas que a sua consciência e o seu coração dizem para você fazer. Quando você investir em si mesmo e começar a se dedicar a levar sua mente, seu corpo e seu caráter a níveis mais elevados, sentirá que há um navegador pessoal dentro de você, dizendo o que deve fazer para alcançar resultados maiores e mais gratificantes. Você vai parar de se preocupar com o relógio e vai viver sua vida.

— Já entendi. Então qual era o tal sub-ritual que você ia me ensinar?

— Ler regularmente. Ler meia hora por dia fará maravilhas por você. Mas eu preciso avisar. Não adianta ler qualquer bobagem. Você tem que ser muito seletivo sobre o que deixa entrar no exuberante jardim da sua mente. Tudo tem que ser extremamente nutritivo. Faça com que seja algo que vá melhorar você e a sua qualidade de vida.

— Os sábios liam o quê?

— Eles passavam boa parte do tempo em que ficavam acordados lendo e relendo os antigos ensinamentos de seus antepassados. Devoravam essa literatura filosófica. Eu ainda me lembro de ver aquelas pessoas com fisionomias maravilhosas sentadas em cadeiras de bambu lendo livros estranhamente encadernados com sorrisos sutis de iluminação nos lábios. Foi em Sivana que realmente percebi o poder dos livros e o princípio de que os livros são os melhores amigos dos sábios.

— Quer dizer que devo começar a ler todo bom livro que aparecer na minha frente?

— Sim e não — veio a resposta. — Eu nunca aconselharia você a não ler todos os livros que puder. Mas, lembre-se, alguns livros devem ser saboreados, alguns devem ser mastigados e, finalmente, alguns devem ser engolidos inteiros. O que me leva a outra questão.

— Você está com fome.

— Não, John — riu Julian. — Eu simplesmente quero dizer que, para extrair realmente o melhor de um grande livro, você tem que estudá-lo e não apenas lê-lo. Leia um livro desses da mesma maneira que você lê o contrato que um dos seus principais clientes traz quando quer pedir sua opinião. Realmente pense nele, trabalhe com ele e comungue com ele. Os sábios liam boa parte dos livros de sabedoria de sua vasta biblioteca umas dez ou 15 vezes. Tratavam os livros como se fossem escrituras, documentos sagrados de uma origem divina.

— Caramba. Ler tem essa importância toda?

— Meia hora por dia vai fazer uma diferença incrível na sua vida, porque você rapidamente verá grandes reservas de conhecimento à sua disposição. Todas as respostas para todas as perguntas que você tiver já foram publicadas. Se você quiser ser um advogado, pai, amigo ou amante melhor, existem livros que possibilitarão alcançar essas metas. Todos os erros que for cometer na vida já foram feitos por quem veio antes de você. Será que você realmente acha que é a única pessoa que já passou pelos desafios que enfrenta?

— Eu nunca pensei nisso, Julian. Mas entendo o que você está dizendo e sei que tem razão.

— Todos os problemas que as pessoas já enfrentaram e que ainda vão enfrentar ao longo da vida já aconteceram algum dia — assegurou Julian. — E o mais importante é que todos os problemas e todas as soluções estão registrados nas páginas dos livros. Leia os livros certos. Aprenda com aqueles que nos antecederam e que lidaram com os mesmos desafios com os quais você hoje se debate. Ponha em prática as estratégias de sucesso que eles utilizaram e você vai ficar impressionado com as melhorias que vai sentir na sua vida.

— E exatamente quais são os "livros certos"? — perguntei, logo percebendo que a argumentação de Julian era excelente.

— Isso, meu amigo, eu vou deixar para você julgar. Pessoalmente, como acabei de voltar do Oriente, passo a maior parte de todos os dias lendo as biografias das pessoas que admiro e uma boa parte da literatura dos sábios.

— Tem algum título que você poderia recomendar para um aluno ansioso em aprender? — perguntei, abrindo um largo sorriso.

— Claro. Você vai adorar a biografia do grande americano Benjamin Franklin. Acho que o seu crescimento vai receber um impulso muito forte com a autobiografia de Mahatma Gandhi. Também sugiro que leia *Sidarta*, de Hermann Hesse, a filosofia extremamente prática de Marco Aurélio e uma parte da obra de Sêneca. Você pode até ler *Quem Pensa Enriquece*, de Napoleon Hill. Eu li na semana passada e achei muito profundo.

— *Quem Pensa Enriquece*? — perguntei. — Mas eu pensei que você tinha deixado todo esse lado material para trás, depois do seu ataque cardíaco. Eu realmente estou farto de todos esses "manuais para ganhar dinheiro rápido" escritos por esses caras que vendem gato por lebre e seduzem gente ignorante.

— Calma, meu chapa! Eu concordo com você em gênero, número e grau — respondeu Julian, com todo o calor e a paciência de um avô sábio e amoroso. — Eu quero restaurar o caráter ético da nossa sociedade. Esse livrinho não fala de ganhar um monte de dinheiro, mas de extrair muito da vida. Eu vou ser o primeiro a te dizer que há uma grande diferença entre estar bem e parecer bem. Eu já passei por isso e sei a dor que causa uma vida movida pelo dinheiro. *Quem Pensa Enriquece* fala sobre abundância, inclusive a abundância espiritual, e como atrair tudo de bom para a sua vida. Você pode perfeitamente ler esse livro, mas eu não vou forçar esse assunto.

— Desculpe, Julian, não quis parecer um advogado agressivo. Acho que o meu ímpeto às vezes se impõe. É mais uma coisa que preciso melhorar. Eu me sinto realmente grato por tudo o que você está compartilhando comigo.

— Sem problemas, já passou. A questão é simplesmente ler e continuar lendo. Quer saber de mais uma coisa interessante?

— O quê?

— Não é o que você tira dos livros que enriquece tanto, é o que os livros vão acabar tirando de você que vai acabar mudando a sua vida. Veja, John, os livros não ensinam nada de realmente novo.

— Não?

— Não. Os livros apenas ajudam a ver o que já está dentro de você. E é isso que é a iluminação. Depois de todas as minhas viagens e explorações, descobri que tinha completado um círculo desde o ponto de partida, quando era um garoto. Mas agora eu me conheço e sei tudo o que posso ser.

— Quer dizer que o Ritual do Conhecimento Abundante se refere a ler e explorar o manancial de informações que existe lá fora?

— Em parte. Por enquanto, leia meia hora por dia. O resto vai vir naturalmente — disse Julian, com uma ponta de mistério.

— Muito bem. E qual é o Quinto Ritual de uma Vida Radiante?

— É o Ritual da Reflexão Pessoal. Os sábios acreditavam firmemente no poder da contemplação interior. Ao tirar um tempo para se conhecer, você vai se conectar com uma dimensão do seu ser que nunca imaginou que existisse.

— Parece muito profundo.

— Na verdade, até que é um conceito muito prático. Veja só: todos nós temos talentos latentes dentro de nós. Ao tirar um tempo para conhecê-los, nós os acalentamos. No entanto, a contemplação silenciosa vai trazer ainda mais do que isso. Essa prática vai fazer você ficar mais forte, mais à vontade consigo mesmo e mais sábio. É um uso muito compensador da sua mente.

— Mas eu ainda não estou entendendo muito bem o conceito, Julian.

— Perfeitamente. Eu também estranhei na primeira vez que ouvi. Destrinchando tudo à forma mais básica, a reflexão pessoal não é nada mais do que o hábito de pensar.

— Mas todo mundo não pensa? Isso não é parte do que é ser humano?

— Bem, a maioria de nós pensa. O problema é que a maioria das pessoas pensa só o suficiente para sobreviver. E o que esse ritual ensina é pensar o bastante para prosperar. Quando você ler a biografia de Benjamin Franklin, vai entender o que estou dizendo. Toda noite, depois de um dia inteiro de trabalho produtivo, ele se retirava para um canto silencioso de sua casa e refletia sobre o seu dia. Pensava em todas as ações e se elas foram construtivas ou positivas, ou se foram do tipo negativo e precisavam de algum conserto. Ao entender claramente o que fez de errado durante o dia, ele podia tomar atitudes imediatas para melhorar e avançar no caminho do autodomínio. Os sábios faziam a mesma coisa. Toda noite, eles se retiravam para o santuário, que eram as cabanas cobertas de pétalas de rosas perfumadas, e se sentavam na mais profunda contemplação. O iogue Raman chegava a fazer um inventário dos seus dias.

— Que tipo de coisa ele anotava?

— Primeiro, ele fazia uma lista de todas as atividades do seu dia, desde os cuidados pessoais pela manhã até as interações com os outros sábios e as expedições pela floresta em busca de lenha e alimentos frescos. O interessante é que ele também anotava os pensamentos que passavam por sua cabeça ao longo daquele dia.

— Mas isso não é muito difícil de se fazer? Eu mal sou capaz de me lembrar do que pensei há cinco minutos, quanto mais há 12 horas.

— Não se você praticar esse ritual diariamente. Veja que qualquer pessoa pode atingir o mesmo resultado que atingi. Qualquer pessoa. O problema é que muita gente sofre daquela doença terrível chamada *desculpite*.

— Acho que também já contraí essa doença, no passado — disse, entendendo perfeitamente o que o meu amigo estava dizendo.

— Pare de arranjar desculpas e faça o que tem que ser feito! — exclamou Julian, a voz ecoando a força de suas convicções.

— Fazer o quê?

— Reserve um tempo para pensar. Cultive o hábito regular da introspecção. Depois que o iogue Raman listava tudo o que tinha feito e tudo o que tinha pensado numa coluna, ele fazia um comentário na coluna ao lado. Ao confrontar as suas atividades e os seus pensamentos por escrito, ele indagava se a natureza dos mesmos era positiva. Se fosse, ele continuaria a dedicar sua preciosa energia a eles, já que pagariam grandes dividendos a longo prazo.

— E se fossem negativos?

— Então ele bolava um curso inteiro de ação para se livrar deles.

— Acho que um exemplo cairia bem.

— Pode ser pessoal? — perguntou Julian.

— É claro, adoraria conhecer alguns dos seus pensamentos mais íntimos.

— Para falar a verdade, eu estava me referindo aos *seus* pensamentos.

Começamos a rir como dois garotos no pátio da escola.

— Tá. Tudo bem. Você sempre conseguia as coisas que queria mesmo.

— Ok, vamos repassar algumas das coisas que você fez hoje. Anote aí nessa folha de papel — instruiu Julian, apontando para a mesinha diante do sofá.

Comecei a perceber que algo importante estava prestes a acontecer. Essa era a primeira vez em muitos anos que eu tirava um tempo para não fazer nada além de refletir sobre as coisas que estava fazendo e nas quais estava pensando. Era tudo muito estranho, mas, ao mesmo tempo, muito perspicaz. Afinal, como eu poderia esperar melhorar a mim mesmo e a minha vida sem sequer me dar ao trabalho de verificar o que precisava melhorar?

— Por onde eu começo?

— Comece pelo que você fez hoje de manhã e continue avaliando o resto do dia. Basta colocar os pontos principais. Nós ainda temos bastante coisa a fazer antes de eu voltar para a fábula do iogue Raman, daqui a pouco.

— Tá. Acordei às 6h30 com o som do meu galo elétrico — brinquei.

— Fala sério e continua — respondeu Julian, com firmeza.

— Muito bem. Aí eu tomei banho e me barbeei. Engoli uma torrada e saí correndo para o trabalho.

— E a família?

— Todo mundo estava dormindo. De qualquer maneira, assim que cheguei ao escritório, percebi que a pessoa com quem eu tinha um compromisso às 7h30 já estava me esperando ali desde as 7h e, devo dizer, ele estava uma arara.

— E o que você fez?

— Eu reagi, oras. E você queria o quê? Que eu engolisse desaforo?

— Hmmm. Ok. E aí, o que aconteceu?

— Então as coisas foram de mal a pior. Ligaram para mim do tribunal e disseram que o juiz Wildabest queria me ver na sala dele e que, se não chegasse lá em dez minutos, "cabeças iam rolar". Você se lembra do Wildabest, não lembra? Foi você quem pôs o apelido nele de Juiz Vil e Besta, depois que ele disse que você o desacatou por ter estacionado sua Ferrari na vaga dele! — lembrei, caindo na gargalhada.

— Só você para lembrar uma coisa dessas! — respondeu Julian, com os olhos revelando um resquício do humor sarcástico que lhe fora tão característico.

— Depois, eu saí correndo até o tribunal e tive mais uma briga com o pessoal de lá. Quando voltei ao escritório, tinha 27 mensagens telefônicas esperando por mim, todas marcadas como urgentes. Preciso continuar?

— Por favor.

— Bem, quando voltava para casa, a Jenny ligou para mim no carro e pediu para dar uma passada na casa da mãe dela e pegar uma de suas famosas tortas. O problema é que, quando eu peguei a saída para a casa dela, dei de cara com um dos piores engarrafamentos dos últimos tempos. E assim, lá estava eu, no meio do rush, num calor de 35 graus, tremendo de estresse e sentindo que estava desperdiçando ainda mais o meu tempo.

— E como você reagiu?

— Xingando o trânsito — falei, com a mais absoluta honestidade. — Comecei a gritar dentro do carro. Quer saber o que eu disse?

— Não acho que seria o tipo de coisa que alimentaria o jardim da minha mente — respondeu Julian, com um leve sorriso.

— Mas poderia ser um bom adubo.

— Não, obrigado. Talvez a gente deva parar por aqui. Agora, separe um minuto para pensar no seu dia. Evidentemente, olhando para trás, tem pelo menos algumas coisas que você faria diferente, se tivesse essa oportunidade.

— Lógico.

— Como o quê, por exemplo?

— Hm... Bem, primeiro, num mundo ideal, eu teria levantado mais cedo. Eu não acho que esteja me fazendo bem acordar a mil por hora. Gostaria de ter um pouco mais de tranquilidade pela manhã e começar o dia com calma. A técnica do Coração da Rosa que você me contou parece ser bem legal. E também, eu realmente gostaria de poder tomar café da manhã com a minha família, mesmo que fosse só uma tigela de sucrilhos. Isso poderia me trazer uma sensação de equilíbrio. Eu vivo pensando que não consigo passar tempo suficiente com a Jenny e as crianças.

— Mas o mundo é perfeito e a sua vida é perfeita. Você tem o poder para controlar os seus dias. Você tem o poder de cultivar bons pensamentos. Tem o poder de viver os seus sonhos! — observou Julian, levantando a voz.

— Estou começando a perceber isso. Estou realmente começando a pensar que é possível mudar.

— Ótimo. Continue refletindo sobre o seu dia — instruiu.

— Bem, eu gostaria de não ter gritado com o meu cliente. Gostaria de não ter discutido com o funcionário do tribunal nem xingado o engarrafamento.

— Mas o engarrafamento não vai se incomodar muito, vai?

— Não. Vai continuar a ser um engarrafamento.

— Então eu acho que você está vendo agora o poder do Ritual da Reflexão Pessoal. Ao olhar o que tem feito, como passa o seu dia e os pensamentos que tem, você criará uma base de comparação com a qual poderá medir o seu progresso. A única maneira de melhorar o amanhã é saber o que você fez de errado hoje.

— E traçar um plano claro, para que isso não volte a acontecer, certo? — acrescentei.

— Exatamente. Não tem nada de errado em cometer erros. Fazem parte da vida e são imprescindíveis para o crescimento. É como diz aquele ditado: "A felicidade vem dos bons julgamentos, os bons julgamentos vêm da experiência, e a experiência vem dos maus julgamentos." Mas é muito errado cometer sempre os mesmos erros, todo santo dia. Isso denota uma total falta de consciência, que é exatamente a qualidade que separa os seres humanos dos animais.

— Isso eu nunca ouvi na vida.

— Muito bem, mas é verdade. Só um ser humano pode se distanciar de si mesmo e analisar o que está fazendo certo e o que está errado. Um cachorro não tem essa capacidade. Um passarinho também não. Nem um macaco. Mas você tem. E esse é o ponto do Ritual da Reflexão Pessoal. Veja o que está certo e o que está errado nos seus dias e na sua vida. E então comece imediatamente a executar melhorias.

— É muita coisa para se pensar, Julian. Muita mesmo... — refleti.

— E que tal pensar no Sexto Ritual para uma Vida Radiante: o Ritual de Acordar ao Alvorecer?

— Hm... Acho que eu já sei o que vem por aí.

— Um dos melhores conselhos que recebi naquele oásis longínquo de Sivana foi acordar junto com o sol e começar bem o dia. A maioria de nós dorme mais do que precisa. Uma pessoa comum pode descansar perfeitamente dormindo seis horas e se manter plenamente saudável e alerta. Dormir não passa de um hábito e, como todos os outros hábitos, é possível se treinar para conseguir o resultado desejado. No caso, dormir menos.

— Mas, quando acordo muito cedo, eu me sinto exausto.

— Nos primeiros dias, você vai se sentir muito cansado. É fato. Pode até se sentir assim durante toda a primeira semana em que você se levantar bem cedo. Por favor, veja isso como uma pequena dose de dor a curto prazo para um imenso ganho a longo prazo. Sempre haverá certo desconforto na hora de incutir um novo hábito. É como usar um sapato novo — no começo, é desconfortável, mas, passado um tempo, é quase como andar descalço. Como disse antes, a dor normalmente é um precursor para o crescimento pessoal. Não fuja dela, aceite-a de braços abertos.

— Ok, eu gosto da ideia de me treinar para acordar mais cedo. Mas, antes, deixe-me perguntar o que você entende por "cedo".

— Outra excelente pergunta. Não existe realmente uma hora ideal. Como tudo o mais que conversei com você esta noite, faça aquilo que parecer adequado para você. Lembre-se da advertência do iogue Raman: "Evite os extremos e aja com moderação."

— Acordar junto com o sol me parece um pouco extremo.

— Mas, na verdade, não é. Existem poucas coisas mais naturais do que acordar com a glória dos primeiros raios de um novo dia. Os sábios acreditam que os raios de sol são um presente dos céus e, embora eles tomem o cuidado de não se expor demais, tomam banhos de sol regulares e geralmente podem ser vistos dançando e brincando na primeira luz da manhã. Eu acredito piamente que isso é mais um segredo para a extraordinária longevidade deles.

— E você toma banho de sol?

— Claro. O sol me rejuvenesce. Quando me canso, levanta o meu astral. Nas velhas culturas do Oriente, acreditava-se que o sol era uma conexão com a alma. As pessoas o adoravam, já que ele permitia que as plantações dessem frutos, além de acalentar o espírito. A luz do sol vai liberar a sua vitalidade e restaurar a sua vibração física e emocional. É um médico adorável, se as visitas forem moderadas, claro. Mas eu estou divagando. O importante é levantar cedo, todos os dias.

— Hmm. E como é que eu encaixo esse ritual na minha rotina?

— Aqui vão algumas dicas rápidas. Primeiro, nunca se esqueça de que é a qualidade, e não a quantidade de sono que importa. É melhor ter seis horas de sono profundo e ininterrupto do que dez horas se revirando na cama. O essencial é que o seu corpo descanse, de modo que seus processos naturais consigam reparar e restaurar sua dimensão física a um estado natural de saúde, um estado que é maculado pelo estresse do dia a dia. Muitos dos hábitos dos sábios se baseiam no princípio de que é preciso lutar por um descanso de qualidade, mais do que por um sono de qualidade. O iogue Raman, por exemplo, nunca comia nada depois das oito da noite. Ele dizia que a digestão reduzia a qualidade do sono dele. Outro exemplo era o hábito dos sábios de meditar com o som de uma harpa suave ao fundo, imediatamente antes de dormir.

— E qual era a razão por trás de tudo isso?

— Deixa eu te fazer uma pergunta, John. O que você faz toda noite antes de dormir?

— Eu vejo o jornal com a Jenny, como a maioria das pessoas.

— Foi o que pensei — respondeu Julian, com um brilho misterioso no olhar.

— Não entendi. O que pode haver de errado em dar uma espiada nas últimas notícias antes de dormir?

— O espaço de dez minutos antes de dormir e o período de dez minutos depois de acordar exercem uma profunda influência na sua mente subconsciente. Só os pensamentos mais serenos e inspiradores devem ser programados na sua mente nesses momentos.

— Do jeito como você fala, parece até que a mente é um computador.

— Não deixa de ser uma boa analogia: o que você põe lá dentro é o que você tira. O mais importante é o fato de que você é o único programador. Ao determinar que pensamentos entram, também determina exatamente o que vai sair. Por isso, antes de dormir, não assista ao jornal, nem discuta com ninguém e nem mesmo repasse como foram os acontecimentos do dia na sua mente. Relaxe. Se quiser, tome uma xícara de chá. Ouça algum tipo de música clássica tranquila e prepare-se para cair num sono rico e renovador.

— Faz sentido. Quanto melhor o sono, menos eu vou precisar.

— Exatamente. E lembre-se da Velha Regra dos 21: se você fizer qualquer coisa por 21 dias seguidos, ela vai ficar incutida como um hábito. Por isso, assuma a rotina de acordar cedo por três semanas antes de desistir, porque ela é incômoda demais. A essa altura, ela vai fazer parte da sua vida. Em pouco tempo, você já será capaz de se levantar às cinco e meia ou até às cinco da manhã com facilidade, pronto para saborear o esplendor de mais um grande dia.

— Muito bem, então digamos que eu já esteja acordando todo dia de manhã, às cinco e meia. O que eu faço?

— Essas perguntas mostram que você está pensando, meu amigo, e eu gosto disso. Bem, depois de acordar, você pode fazer várias coisas. O princípio fundamental é ter em mente a importância de *começar bem o dia*. Como já sugeri, aquilo que você pensa e as ações que executa nos primeiros dez minutos depois de se levantar exercem um efeito muito marcante no decorrer do dia.

— Sério mesmo?

— Totalmente. Pense apenas coisas positivas. Faça uma oração agradecendo por tudo o que você tem. Faça uma lista de agradecimentos. Ouça uma boa música. Veja o sol se levantar, ou faça um passeio em algum lugar em que possa entrar em contato com a natureza, se tiver vontade. Os sábios chegavam a se forçar a rir, mesmo que não tivessem vontade, só para fazer os "fluidos da felicidade" correr pelo corpo, logo cedo.

— Julian, estou fazendo um grande esforço para manter a minha xícara vazia e espero que você concorde comigo que eu até que tenho me saído muito bem para um calouro. Mas isso parece um pouco estranho, mesmo para um grupo de monges do Himalaia.

— Mas não é. Quantas vezes você acha que uma criança de quatro anos ri, num dia? Chuta um número.

— E eu lá sei?

— Eu sei. São trezentas. Agora adivinha quantas vezes uma pessoa adulta na nossa sociedade ri durante um dia.

— Cinquenta? — experimentei.

— Que tal 15? — respondeu Julian, sorrindo satisfeito. — Está vendo o que eu quero dizer? O riso é um remédio para a alma. Mesmo que você não tenha vontade, olhe-se no espelho e ria por alguns minutos. Não dá para não se sentir bem. William James já dizia que "nós não rimos porque somos felizes; nós somos felizes porque rimos". Por isso, comece o seu dia com o pé direito. Ria, divirta-se e agradeça por tudo o que você tem. Todo dia vai ser incrivelmente gratificante.

— O que você faz para começar o seu dia com o pé direito?

— Para falar a verdade, eu criei uma rotina matinal até bastante sofisticada, que inclui tudo, desde o Coração da Rosa até tomar uns dois copos de suco de frutas fresco. Mas tem uma estratégia em particular que eu gostaria de dividir com você.

— Tem cara de ser importante.

— E é. Um pouco depois de você acordar, vá para o seu santuário de silêncio. Relaxe e concentre-se. E então faça a si mesmo a seguinte pergunta: "O que eu faria hoje, se esse fosse o último dia da minha vida?" A chave é realmente penetrar no significado dessa pergunta. Faça uma lista mental de todas as coisas que você faria, as pessoas para quem iria telefonar e todos os momentos que iria desfrutar. Imagine-se fazendo essas coisas com muita energia. Imagine como você trataria a sua família e os seus amigos. Veja, inclusive, como trataria pessoas que lhe são totalmente estranhas se esse fosse o seu último dia no planeta Terra. Como eu falei antes, quando você vive todos os seus dias como se fossem o último, a sua vida ganha uma qualidade mágica.

"E isso me leva ao Sétimo Ritual de uma Vida Radiante: o Ritual da Música."

— Acho que eu vou adorar esse — respondi.

— Tenho certeza de que sim. Os sábios adoravam música. Ela dava a eles o mesmo impulso espiritual do sol. A música os fazia rir, dançar e cantar. E vai fazer o mesmo por você. Nunca se esqueça do poder da música. Gaste um pouco do seu tempo com ela, todo dia, mesmo que seja só para ouvir um CD enquanto dirige até o trabalho. Quando estiver se sentindo mal ou cansado, ponha um pouco de música para tocar. É um dos melhores motivadores que existem.

— Sem contar você! — exclamei, sinceramente. — O simples fato de ficar aqui ouvindo já me faz sentir muito bem. Você mudou mesmo, Julian, e não é só por fora. O seu velho cinismo foi embora. A sua antiga negatividade foi embora. A agressividade também. Você efetivamente parece estar em paz consigo mesmo. E me tocou esta noite.

— Mas não acabou! — gritou Julian, dando um soco no ar. — Vamos em frente.

— Eu nem sonharia em parar agora.

— Ok. O oitavo ritual é o Ritual da Palavra Falada. Os sábios tinham uma série de mantras que recitavam todo dia de manhã, ao meio-dia e à noite. Diziam que essa prática era extremamente eficaz na hora de mantê-los focados, fortes e felizes.

— O que é um mantra?

— Um mantra não é nada além de uma série de palavras unidas para criar um efeito positivo. Em sânscrito, "*man*" significa mente e "*tra*" quer dizer liberar. Portanto, um mantra é uma frase elaborada para liberar a mente. E pode acreditar, John, os mantras realmente cumprem esse objetivo de uma maneira muito poderosa.

— Você usa os mantras como parte de uma rotina diária?

— Com certeza. São meus companheiros fiéis aonde quer que eu vá. Quando estou no ônibus, andando até a biblioteca ou sentado no parque vendo a vida passar, fico constantemente afirmando tudo o que há de bom no meu mundo com a ajuda dos mantras.

— Quer dizer que os mantras devem ser falados?

— Não necessariamente. Afirmações escritas também podem ser muito eficientes. Mas descobri que repetir um mantra em voz alta exerce um efeito maravilhoso sobre o meu espírito. Quando preciso me sentir motivado, posso repetir "estou inspirado, disciplinado e energizado" umas duzentas ou trezentas vezes. Para manter a exultante sensação de autoconfiança que gerei, eu repito: "Sou forte, calmo e capaz." Eu uso os mantras até para me manter jovem e vigoroso — confessou Julian.

— Como é que um mantra pode manter alguém jovem?

— As palavras afetam a mente de uma maneira notável. Sejam escritas ou faladas, são uma influência muito poderosa. Se de um lado aquilo que você diz para os outros é importante, aquilo que diz para si mesmo é mais importante ainda.

— Falar sozinho?

— Exatamente. Você é aquilo que você pensa o dia inteiro. E também é aquilo que fala para si mesmo o dia inteiro. Se você disser que está velho e cansado, esse mantra vai se manifestar na sua realidade exterior. Se disser que é fraco e que não tem entusiasmo, assim também será a natureza do seu mundo. Mas, se você disser que é saudável, dinâmico e vivaz, a sua vida vai se transformar. Observe que as palavras que você diz para si mesmo afetam sua autoimagem, e ela define suas futuras ações. Por exemplo, se sua autoimagem for de uma pessoa sem confiança para fazer qualquer coisa de valor, você só será capaz de realizar ações que se alinhem com essa característica. Por outro lado, se for de uma pessoa radiante e destemida, todas as suas ações corresponderão a essa qualidade. A sua autoimagem é uma espécie de profecia que se autorrealiza.

— Como assim?

— Se você acredita que é incapaz de fazer algo — por exemplo, encontrar uma parceira perfeita ou levar uma vida sem estresse —, essas crenças vão afetar a sua autoimagem. E, em contrapartida, a sua autoimagem vai impedir que você dê os passos para encontrar a tal parceira perfeita ou criar uma vida serena para si mesmo. Na verdade, vai até sabotar qualquer esforço que venha a fazer nesse sentido.

— E por que isso acontece?

— É simples. De certa maneira, a autoimagem é o que nos governa. Ela nunca vai nos deixar agir de uma maneira que não combine com ela. O bom é que podemos mudar nossa autoimagem, assim como qualquer outra coisa que não esteja nos servindo. E os mantras são excelentes formas de se conseguir esse objetivo.

— E, quando mudo o meu mundo interior, também mudo o exterior — falei, obediente.

— Você aprende rápido mesmo — disse Julian, fazendo com o polegar o sinal positivo que tanto usava quando brilhava nos tribunais.

— O que nos leva ao Nono Ritual de uma Vida Radiante. É o Ritual do Caráter Congruente. É uma espécie de adendo ao conceito de autoimagem de que estávamos falando agora há pouco. Simplificando, esse ritual exige que você tome ações diárias e incrementais para melhorar o seu caráter. Fortalecer o seu caráter afeta a maneira como você se vê, bem como suas ações. Estas vêm dos seus hábitos e, o que é mais importante, os seus hábitos traçam o seu destino. Talvez o iogue Raman tenha articulado melhor essa fórmula quando disse: "Se você semeia um pensamento, colhe uma ação. Se semeia uma ação, colhe um hábito. Se semeia um hábito, colhe um caráter. E se semeia um caráter, colhe o seu destino."

— E que tipo de coisas devo fazer para fortalecer o meu caráter?

— Qualquer coisa que cultive as suas virtudes. E, antes que você me pergunte o que eu entendo por "virtudes", deixe-me explicar essa ideia. Os sábios da cordilheira do Himalaia acreditam piamente que uma vida virtuosa é uma vida de sentido. Por isso, governam todas as suas ações por uma série de princípios que vêm do início dos tempos.

— Mas eu pensei que você tinha dito que eles regem a vida por objetivos...?

— Exatamente, mas a vocação da vida deles envolve viver de uma maneira consistente com esses princípios, que os antepassados já levavam no coração há milhares de anos.

— E que princípios são esses, Julian? — perguntei.

— Em suma: trabalho, compaixão, humildade, paciência, honestidade e coragem. Quando todas as suas ações são consistentes e alinhadas com esses princípios, você experimenta uma profunda sensação de paz e harmonia. Viver dessa maneira inevitavelmente conduzirá você ao sucesso espiritual. Porque você sempre estará fazendo o que é certo. Agirá de uma maneira condizente com as leis da natureza e as leis do universo. É aí que você vai começar a puxar a energia de uma outra dimensão, que pode chamar de um poder superior, se quiser. É aí, também, que a sua vida vai sair do que é ordinário para o campo do extraordinário e você passará a sentir como o seu ser é sagrado. É o primeiro passo para a iluminação eterna.

— E você já passou por essa experiência?

— Já passei e acredito que você vá passar também. Faça tudo o que é certo. Aja de maneira consistente com o seu verdadeiro caráter. Aja com integridade. Guie-se pelo seu coração. E o resto vai se arranjar. Sabe de uma coisa? Você nunca está sozinho.

— O que que você quer dizer com isso?

— Talvez outro dia eu lhe explique isso. Por enquanto, lembre-se de que você tem que fazer pequenas coisas diariamente para construir o seu caráter. Como disse Emerson: "O caráter é mais elevado do que o intelecto. Uma alma grande terá a força para viver, assim como para pensar." O seu caráter é construído quando você age de uma maneira que corresponde aos princípios que eu acabei de citar. Se você não fizer isso, a verdadeira felicidade sempre vai escapulir por entre os seus dedos.

— E o último ritual?

— É o Ritual da Simplicidade, que é sempre muito importante. Esse ritual exige que você leve uma vida simples. Como disse o iogue Raman: "Nunca se deve viver no meio de coisas superficiais. Concentre-se apenas nas suas prioridades, aquelas que realmente têm um significado. A sua vida ficará muito mais fácil, será mais gratificante e excepcionalmente tranquila. Isso eu posso prometer."

"E ele estava certo. No momento em que comecei a separar o joio do trigo, a minha vida se encheu de harmonia. Parei de viver no ritmo frenético com o qual estava acostumado. Parei de viver a vida no olho do furacão. Diminuí o ritmo e comecei a ter tempo para curtir os pequenos prazeres."

— E o que você fez para cultivar a simplicidade?

— Parei de usar roupas caras, joguei fora o meu vício de ler seis jornais por dia, parei de ficar à disposição de todo mundo o tempo todo, virei vegetariano e passei a comer menos. Basicamente, reduzi as minhas necessidades. Veja, John, a não ser que você reduza as suas necessidades, nunca estará satisfeito. Será sempre igual ao cara que vai para Las Vegas tentar a sorte no jogo e continua na roleta por "só mais uma bola", esperando que caia o número de sorte. Você sempre desejará mais do que tem. Se for assim, como é que você vai ser feliz?

— Mas antes você me disse que a felicidade vem das realizações. E agora me manda reduzir as minhas necessidades e me contentar com menos. Não é um paradoxo?

— Excelente pergunta, John. Aliás, ela chega a ser brilhante. Isso pode até parecer uma contradição, mas não é. A felicidade que dura a vida toda vem do esforço em realizar os seus sonhos. Você está no auge quando está progredindo. A chave é não deixar a sua felicidade depender daquele pote de ouro no fim do arco-íris, que sempre parece inalcançável. Eu, por exemplo, apesar de ser multimilionário, sempre me dizia que o sucesso era ter US$ 300 milhões na conta bancária. Era a própria receita para o desastre.

— Trezentos milhões de dólares? — perguntei, espantado.

— Trezentos milhões de dólares. Por isso, não importava quanto dinheiro eu tivesse, nunca estava satisfeito. Vivia infeliz. E isso não passava de ganância, o que hoje tenho a liberdade de admitir. Parecia muito com a história do rei Midas. Tenho certeza de que essa você já ouviu.

— Claro. Era aquele homem que gostava tanto de ouro que rezou para que tudo o que ele tocasse virasse ouro. Quando o desejo dele foi atendido, ele ficou extasiado. Até que percebeu que não podia comer porque a comida também virava ouro e assim por diante.

— Isso mesmo. Da mesma maneira, eu era tão movido a dinheiro que não podia curtir tudo o que tinha. Sabia que chegou um momento em que eu só comia pão e água? — disse Julian, que ficara muito reservado e pensativo.

— Você está falando sério? Eu sempre achei que você comia nos melhores restaurantes com todas aquelas celebridades!

— Isso foi no começo. Não tem muita gente que sabe disso, mas o peso da minha vida desregrada perfurou uma úlcera. Eu não conseguia nem comer um cachorro quente sem enjoar. Que vida era aquela! Eu tinha um caminhão de dinheiro e não podia comer nada além de pão e água. Foi realmente patético. — Então, Julian fez uma pausa. — Mas eu não sou daqueles que vivem no passado. Foi só mais uma das grandes lições da vida. Como disse antes, a dor é um mestre poderoso. Para transcendê-la, primeiro tive que vivenciá-la. Não estaria aqui hoje sem ela — falou, estoicamente.

— E você tem alguma ideia sobre como eu posso trazer o Ritual da Simplicidade para a minha vida? — perguntei.

— Tem muita coisa que você pode fazer. Até as pequenas coisas fazem diferença.

— Como o quê, por exemplo?

— Deixar de atender o telefone toda vez que ele tocar, parar de perder tempo lendo e-mails inúteis, parar de comer fora três vezes por semana, sair do seu clube de golfe e passar mais tempo com os seus filhos... Passe um dia por semana sem relógio, veja o sol nascer de vez em quando, venda o seu telefone celular e jogue fora o *pager*. Você ainda quer que eu continue?

— Já entendi. Mas vender o telefone celular? — perguntei, ansioso, como um recém-nascido ouvindo o médico dizer que está na hora de cortar o cordão umbilical.

— Como já disse, o meu dever é repartir com você os conhecimentos que eu aprendi na minha viagem. Você não precisa pôr em prática todas essas estratégias para a sua vida dar certo. Faça um teste e aplique aquelas que servirem para você.

— Já entendi. Nada em excesso, tudo com moderação.

— Exatamente.

— Eu tenho que confessar que todas as suas estratégias parecem ótimas. Mas será que elas vão trazer mudanças profundas na minha vida em apenas trinta dias?

— Levará menos de trinta dias, e mais — disse Julian, com seu tradicional olhar de ironia.

— Lá vamos nós outra vez. Por favor, explique, ó Sábio dos Sábios.

— Só "Julian" é o suficiente, embora "Sábio dos Sábios" ficaria formidável no meu antigo papel timbrado — brincou.

— Eu disse que vai demorar menos de trinta dias porque as verdadeiras mudanças na vida são espontâneas.

— Espontâneas?

— É. Elas acontecem num piscar de olhos, no momento em que você decide do fundo da sua alma que vai levar a sua vida a um patamar mais elevado. Nesse momento, você passa a ser outra pessoa, que comanda o curso do próprio destino.

— E por que mais do que trinta dias?

— Eu prometo que, ao pôr em prática essas técnicas e estratégias, você verá melhoras marcantes em um mês a partir de hoje. Você terá mais energia, menos preocupações, mais criatividade e menos estresse em todos os aspectos da sua vida. Mas os métodos dos sábios não são do tipo "solução rápida". São tradições que remontam a centenas de anos, que devem ser aplicadas diariamente, até o fim da sua vida. Se você parar de colocá-los em prática, vai aos poucos voltar ao velho modo de agir.

Depois que Julian explicou os Dez Rituais para uma Vida Radiante, ele parou.

— Eu sei que você quer que eu continue e vou continuar. Acredito tanto nas lições que estou compartilhando com você que nem me importo de mantê-lo a noite inteira acordado. Talvez seja este o momento de a gente se aprofundar um pouco mais.

— E o que exatamente você quer dizer com isso? Eu acho que *tudo* o que ouvi esta noite é bem profundo — falei, surpreso.

— Os segredos que expliquei vão permitir que você e todos aqueles com quem tem contato criem a vida que desejam. Mas a filosofia dos Sábios de Sivana vai muito além do óbvio. Tudo o que lhe ensinei até agora foi extremamente prático. Mas você precisa saber mais sobre a corrente subjacente que flui com os princípios que descrevi. Se você não estiver entendendo nada do que estou falando, não se preocupe por enquanto. Basta ouvir tudo e mastigar um pouco. Deixa para digerir depois.

— Em outras palavras, quando o aluno está pronto, o professor aparece...

— Exatamente — disse Julian, agora sorrindo. — Você sempre aprendeu rápido.

— Muito bem, vamos ouvir o lado espiritual — falei, energicamente, sem me dar conta de que já eram quase 2h30 da manhã.

— Dentro de cada um de nós estão o sol, a lua, o céu e todas as maravilhas do universo. A inteligência que criou essas maravilhas é a mesma força que nos criou. Todas as coisas à nossa volta vêm da mesma fonte. Nós somos um só.

— Eu não sei bem se estou conseguindo acompanhar.

— Todo ser que habita esta terra, todo objeto que existe nesta terra tem uma alma. Todas as almas fluem em direção a uma, que é a Alma do Universo. Você entende, John, que, quando alimenta a sua própria mente e o seu próprio espírito, o que está realmente alimentando é a Alma do Universo. Quando você se aprimora, está melhorando a vida de todo mundo à sua volta. E, quando tem a coragem de avançar com confiança na direção dos seus sonhos, começa a se abastecer dessa força do universo. Como disse antes, a vida nos dá o que pedimos a ela. Ela está sempre escutando.

— Quer dizer que o domínio pessoal e o *kaizen* vão me ajudar a ajudar aos outros, ao me ajudar a ajudar a mim mesmo?

— Mais ou menos isso. Quando você enriquecer a sua mente, quando cuidar do seu corpo e alimentar o seu espírito, compreenderá exatamente o que estou dizendo.

— Julian, eu conheço bem você, mas o autodomínio é um ideal alto demais para um pai de família de 97 quilos que, até agora, passou mais tempo desenvolvendo o relacionamento com seus clientes do que consigo próprio. O que vai acontecer se eu fracassar?

— O fracasso é não ter a coragem de tentar, nada mais, nada menos que isso. O único obstáculo que afasta a maioria das pessoas de seus sonhos é o medo de fracassar. No entanto, os fracassos são fundamentais para o sucesso em qualquer empreendimento. Os fracassos nos testam e nos permitem crescer. Eles nos dão lições e nos orientam no caminho da iluminação. Os mestres orientais dizem que toda flecha que acerta o alvo é o resultado de cem flechas erradas. É uma fundamental Lei da Natureza ter lucro através de prejuízos. Nunca tenha medo dos fracassos. Eles são seus amigos.

— Quer dizer que devo aceitar os fracassos? — perguntei, perplexo.

— O universo favorece os corajosos. Quando você toma a decisão definitiva de elevar sua vida ao nível mais alto, a força da sua alma irá guiá-lo. O iogue Raman acredita que o destino de todo mundo é posto diante de si no nascimento. Depende de cada pessoa ter a coragem de fazer o seu caminho. Tem uma história que ele dividiu comigo que quero repassar a você. Um dia, na antiga Índia, havia um gigante malvado que era dono de um magnífico castelo com vista para o mar. Como o gigante havia se afastado por muito tempo em guerras e batalhas, as crianças da aldeia vizinha costumavam entrar no belo jardim do gigante e se divertir bastante. Um dia, o gigante voltou e expulsou todas as crianças do jardim.

"'Nunca mais voltem aqui!', gritou ele, enquanto batia furiosamente a enorme porta de carvalho. Depois, ele construiu um imenso muro de mármore em volta do jardim para impedir as crianças de entrarem.

"O inverno foi muito rigoroso, o que é comum nas partes mais ao norte do subcontinente indiano, e o gigante desejava que o calor voltasse logo. A primavera visitou a aldeia que ficava embaixo do castelo do gigante, mas as garras geladas do inverno se recusavam a ir embora do jardim do castelo. E então, certo dia, o gigante finalmente sentiu o cheiro das fragrâncias da primavera e os raios de sol entrando pela janela. Ele chorou e correu para o jardim. 'Finalmente a primavera chegou.' Mas o gigante não estava preparado para a visão que o esperava. As crianças tinham, de alguma maneira, conseguido pular por cima do muro do castelo e estavam brincando no jardim. Foi por causa delas que o jardim havia deixado de ser um terreno gelado e se transformado num lugar magnífico, cheio de rosas, narcisos e orquídeas. Todas as crianças riam e gargalhavam alegremente, menos uma. Pelo rabo do olho, o gigante viu um garotinho que era muito menor do que os outros. As lágrimas escorriam dos seus olhos, porque ele não tivera a força de escalar o muro e descer até o jardim. O gigante sentiu pena do garoto e, pela primeira vez na vida, se arrependeu do seu jeito bruto. 'Vou ajudar esse menino', disse, correndo na direção dele. Quando todas as outras crianças viram o gigante se aproximando, fugiram do jardim, temendo por suas vidas. Mas o menininho ficou firme. 'Eu vou matar o gigante', balbuciou. 'Vou defender o lugar das nossas brincadeiras.'

"Quando o gigante se aproximou, ele abriu os braços. 'Eu sou seu amigo', falou. 'Vim ajudá-lo a subir o muro e descer no jardim. Esse jardim agora será seu.' O garotinho, que virou o herói da turma, se encheu de felicidade e deu ao gigante o colar de ouro que ele sempre levava no pescoço. 'Este é o meu amuleto da sorte', falou. 'Eu quero que você fique com ele.'

"Depois daquele dia, as crianças passaram a brincar com o gigante no magnífico jardim. Mas o menino corajoso de quem o gigante mais gostava nunca mais voltou. Com o passar do tempo, o gigante ficou doente e frágil. As crianças continuaram a brincar no jardim, mas o gigante não tinha mais forças para fazer companhia a elas. Nesses dias silenciosos, era no menininho que o gigante mais pensava.

"Um dia, no meio de um inverno particularmente áspero, o gigante olhou pela janela e viu algo realmente milagroso: apesar de a maior parte do jardim estar coberto de neve, no centro havia um magnífico roseiral, repleto de flores de um colorido espetacular. Ao lado das rosas estava o menino que o gigante adorava. O gigante dançou de alegria e correu para fora para abraçar o garoto. 'Onde é que você esteve esses anos todos, meu amiguinho? Eu senti a sua falta, do fundo do meu coração.'

"O garoto respondeu com cuidado. 'Há muitos anos, você me ergueu e me colocou no seu jardim mágico. Agora, chegou a minha vez de levá-lo para o meu.' Mais tarde naquele dia, quando as crianças vieram visitar o gigante, eles o encontraram deitado no chão, sem vida. E, da cabeça aos pés, ele estava coberto por mil belíssimas rosas.

"Sempre tenha coragem, igual ao menininho. Fique firme e siga os seus sonhos. Eles vão levá-lo ao seu destino. Siga o seu destino e ele irá levá-lo às maravilhas do universo. E sempre siga as maravilhas do universo, porque elas vão levá-lo a um jardim especial cheio de rosas."

Quando olhei para Julian para dizer que sua história havia me tocado profundamente, vi algo que me surpreendeu: aquele gladiador durão dos tribunais, que passara a maior parte da vida defendendo os ricos e famosos, estava chorando.

◉ O SÍMBOLO ◉

◉ A VIRTUDE ◉
Pratique o *Kaizen*

◉ A SABEDORIA ◉
O autodomínio é o DNA do domínio da vida

O sucesso exterior começa pelo interior

A iluminação vem através do cultivo consistente de sua mente, seu corpo e sua alma

◉ AS TÉCNICAS ◉
Faça Aquilo de que Você Tem Medo

Os Dez Rituais Antigos para uma Vida Radiante

◉ CITAÇÃO PARA GUARDAR ◉
O universo favorece os corajosos. Quando você decide elevar a sua vida ao nível mais alto, a força da sua alma irá guiá-lo a um lugar mágico, com tesouros magníficos.

O PODER DA DISCIPLINA 10

Hoje eu estou certo de que nós somos os senhores do nosso destino, de que a tarefa que foi colocada diante de nós não está acima das nossas forças; de que suas dores e provações não estão acima da nossa resistência. Enquanto tivermos fé na nossa causa e um desejo indestrutível de vencer, a vitória não nos será negada.

Winston Churchill

JULIAN CONTINUOU A usar a fábula mítica do iogue Raman como o arcabouço dos conhecimentos que ele dividia comigo. Eu já conhecia o jardim que era a minha mente, uma usina de força e de potencial. A partir do símbolo do farol, eu tinha aprendido a importância fundamental de ter um objetivo definido na vida e a eficácia de estabelecer metas. Com base no exemplo do lutador japonês de sumô de 3 metros de altura, eu tinha recebido a orientação sobre o antigo conceito de *kaizen* e sobre o manancial de benefícios que o autodomínio iria me trazer. Mas eu mal sabia que o melhor ainda estava por vir.

— Você deve se lembrar de que o nosso amigo lutador de sumô estava completamente nu.

— A não ser por um cabo elétrico cor-de-rosa que tapava as partes íntimas — interferi, de brincadeira.

— Isso — aplaudiu Julian. — O cabo elétrico cor-de-rosa serve para lembrá-lo do poder do autocontrole e da disciplina na hora de construir uma vida mais rica, mais feliz e mais iluminada. Os meus educadores em Sivana eram, sem dúvida alguma, as pessoas mais saudáveis, contentes e serenas que eu já vi na vida. E também eram as mais disciplinadas. Esses sábios me ensinaram que a disciplina é igual a um cabo elétrico. Você já se deu ao trabalho de estudar um cabo desses, John?

— Isso nunca foi uma prioridade para mim — confessei, sorrindo.

— Então, examine um quando puder. Você verá que um cabo elétrico é formado por muitos fios finos e pequenos, colocados uns ao lado dos outros. Sozinhos, eles são frágeis e fracos. Mas, juntos, a soma é muito maior do que os elementos individuais, e o cabo fica mais resistente que o ferro. O autocontrole e a força de vontade são parecidos com isso. Para construir uma vontade de ferro, é fundamental fazer pequenas ações que honrem a virtude da disciplina pessoal. Se forem feitas rotineiramente, essas pequenas ações se empilham umas sobre as outras até formarem, com o tempo, uma imensa força interior. Talvez isso seja mais bem expresso por um velho provérbio africano, que diz: "Quando as teias de aranha se juntam, elas pegam um leão." Quando você libera a sua força de vontade, torna-se o mestre do seu mundo pessoal. Quando você continuamente praticar a velha arte da autodisciplina, não vai haver barreira que não possa superar, um desafio que seja tão difícil que não possa encarar ou uma crise tão grave que não possa desanuviar. A autodisciplina vai fornecer as reservas mentais necessárias para ir em frente quando a vida jogar sobre você alguns dos seus pequenos obstáculos.

Surpreendentemente, Julian acrescentou:

— Mas também tenho que alertar que a falta de vontade é uma doença mental. Se você tem essa fraqueza, a sua prioridade é expulsá-la da sua vida o mais rapidamente possível. Uma enorme disciplina e força de vontade são uma das maiores características de todo mundo que tem personalidade forte e vida maravilhosa. A força de vontade permite que você faça aquilo que disse que ia fazer, quando disse que ia fazer. É ela que faz com que você acorde às cinco da manhã para cultivar a sua mente através da meditação, ou alimente o seu espírito com uma caminhada na floresta quando uma cama quentinha seduz você a passar ali uma manhã fria de inverno. É ela que permite que você segure a língua quando uma pessoa menos evoluída o insulta ou fala alguma coisa da qual você discorda. É ela que empurra os seus sonhos para a frente, mesmo quando os obstáculos parecem ser intransponíveis. É a força de vontade que oferece a força interior para manter os seus compromissos com as outras pessoas e, talvez até mais importante, consigo mesmo.

— Ela é tão importante assim?

— Com toda a certeza, meu amigo. Ela é a virtude fundamental de todas as pessoas que criaram uma vida cheia de paixão, paz e possibilidades.

Julian então pôs a mão no bolso e tirou um reluzente medalhão de prata, do tipo que se costuma ver numa mostra sobre o antigo Egito.

— Você não devia ter um medalhão como esse — brinquei.

— Os Sábios de Sivana me deram esse presente na minha última noite com eles. Foi uma bela e alegre comemoração entre os membros de uma família que sabe viver ao máximo. Foi uma das noites mais bonitas e mais tristes da minha vida. Eu não queria ir embora do Nirvana de Sivana. Aquele era o meu santuário, um oásis com tudo o que havia de bom neste mundo. Os sábios haviam se transformado em meus irmãos e minhas irmãs espirituais. Naquela noite, eu deixei uma parte de mim no alto da cordilheira do Himalaia — disse Julian, com a voz bem baixa.

— O que dizem as palavras gravadas no medalhão?

— Vou ler para você. Nunca se esqueça disso, John. Elas realmente me ajudaram quando as coisas ficaram pesadas. E eu rezo para que elas também banhem você com conforto nas horas de dificuldade. O que está escrito é o seguinte:

> *Com o aço da disciplina, você vai forjar um caráter cheio de coragem e serenidade. Com a força de vontade, você está destinado a se elevar aos mais altos ideais da vida e a viver numa mansão celestial, cheia de tudo o que há de bom, alegre e vital. Sem elas, você vai ficar perdido como um marinheiro sem bússola, que acaba afundando com o próprio navio.*

— Eu nunca pensei realmente na importância do autocontrole, embora tivesse havido muitas vezes em que eu queria ter sido mais disciplinado — confessei. — Com isso você está dizendo que é possível construir uma disciplina, da mesma maneira como meu filho adolescente faz o bíceps dele crescer na academia aqui perto?

— A analogia é excelente. Você treina a sua força de vontade da mesma maneira que o seu filho condiciona o corpo dele na academia. Qualquer pessoa, por mais fraca ou preguiçosa que ela esteja no atual momento, pode ficar disciplinada em relativamente pouco tempo. Mahatma Gandhi é um bom exemplo. Quando a maioria das pessoas pensa nesse santo dos dias de hoje, elas se lembram de um homem que podia passar semanas sem comer em defesa de uma causa e suportar dores terríveis por conta das convicções. Mas, quando você estuda a vida de Gandhi, descobre que ele nem sempre foi um mestre do autocontrole.

— Você não vai me dizer que ele era chocólatra, vai?

— Isso não, John. Quando ele era um jovem advogado, na África do Sul, era dado a ataques temperamentais e a disciplina do jejum ou da meditação era tão estranha na vida dele como a túnica branca que acabou se tornando a sua marca registrada quando ele ficou mais velho.

— Você está me dizendo que, com a dose certa de treinamento e preparação, eu poderia atingir o mesmo nível de força de vontade que Gandhi?

— Cada caso é um caso. Um dos princípios fundamentais que o iogue Raman me ensinou é que as pessoas verdadeiramente iluminadas nunca querem ser iguais às outras. Em vez disso, elas procuram transcender o eu anterior delas. Não entre numa disputa contra os outros. Dispute contra si mesmo — Julian respondeu.

"Quando você tem autocontrole, tem a força de vontade para fazer aquilo que sempre quis fazer. Para você, pode ser treinar para uma maratona ou dominar a arte da canoagem nas corredeiras, ou até largar o Direito para virar artista. Seja lá o que você sonhar, independentemente da riqueza ser material ou espiritual, eu não vou julgar. Só vou dizer que todas essas coisas vão estar ao seu alcance quando você cultivar as suas reservas latentes de força de vontade."

Ele também acrescentou:

— Desenvolver o autocontrole e a disciplina na sua vida vai te dar uma enorme liberdade. E só isso vai mudar as coisas.

— O que você quer dizer?

— A maioria das pessoas tem liberdade. Podem ir aonde quiserem e fazer aquilo de que têm vontade. Mas muita gente também é escrava dos próprios impulsos. Passaram a ser reativas em vez de proativas, o que significa que elas são iguais à espuma da água que bate nas pedras da costa, indo para qualquer lugar que mande a correnteza. Se estiverem com a família e alguém do trabalho chamar com uma emergência, elas saem em disparada, sem sequer pensar em qual atividade é mais importante para o seu bem-estar geral e para o seu objetivo de vida. Por isso, depois de tudo o que eu vi na vida, tanto aqui no Ocidente como no Oriente, eu digo que essas pessoas têm opções, mas não têm liberdade. Elas não têm um ingrediente-chave para uma vida iluminada e significativa: a liberdade de ver a floresta além das árvores, a liberdade de escolher o que é certo, em vez do que parece urgente.

Eu não podia deixar de concordar com Julian. É claro que eu tinha pouco do que reclamar. Tinha uma linda família, uma casa agradável e uma lista de clientes que só fazia aumentar. Mas eu realmente não podia dizer que tinha obtido a minha liberdade. O meu pager era uma parte de mim, tanto quanto o meu braço direito. Eu estava sempre com pressa. Nunca parecia ter tempo para me comunicar profundamente com Jenny, e tirar um tempo para mim num futuro próximo era algo tão improvável quanto eu ganhar a maratona de Boston. Quanto mais eu pensava sobre isso, mais eu percebia que provavelmente não tinha sequer experimentado o néctar da verdadeira e ilimitada liberdade quando era mais novo. Acho que eu realmente era um escravo dos meus impulsos mais fracos. Sempre fiz aquilo que todo mundo achava que eu devia fazer.

— E aumentar a força de vontade vai me proporcionar mais liberdade?

— A liberdade é como uma casa. Você constrói tijolo por tijolo. O primeiro tijolo que você deve pôr é a força de vontade. Essa qualidade te inspira a fazer o que é certo a qualquer momento. Ela dá a energia para agir com coragem. Te dá o controle para viver a vida que imaginou, em vez de simplesmente aceitar a vida que você tem.

Julian também observou os vários benefícios práticos que cultivar a disciplina traz.

— Acredite se quiser, desenvolver a sua força de vontade pode apagar o hábito de viver preocupado, pode mantê-lo saudável e te dar muito mais energia do que você sempre teve.

Entenda, John, que o autocontrole não é nada mais do que o controle da mente. A vontade é a rainha dos poderes da mente. Quando você domina a sua mente, domina a sua vida. O domínio mental começa com você sendo capaz de controlar todos os seus pensamentos. Quando você tiver desenvolvido a capacidade de descartar todos os pensamentos fracos e se concentrar apenas naqueles que são bons e positivos, as ações boas e positivas vão se seguir. E logo você vai começar a atrair tudo de bom e positivo para a sua vida.

"Aqui vai um exemplo. Digamos que uma das suas metas de desenvolvimento pessoal seja acordar todo dia às seis da manhã e correr no parque que fica atrás da sua casa. Vamos dizer que agora nós estejamos no meio do inverno e que o seu despertador acorde você de um sono profundo e relaxante. Seu primeiro impulso é apertar o botão de soneca e voltar a dormir. Talvez você cumpra a sua decisão de se exercitar amanhã. Esse padrão continua por mais alguns dias, até que você decide que já está velho demais para mudar o seu comportamento e que a meta de entrar em forma não era realista."

— Você me conhece bem demais — falei, sinceramente.

— Agora, vamos imaginar um cenário alternativo. Continuamos no meio do inverno. O despertador dispara e você começa a pensar em continuar na cama. Mas, em vez de bancar um escravo dos seus hábitos, você os contesta com pensamentos ainda mais poderosos. Você começa a imaginar, no olho da sua mente, como vai parecer, agir e se sentir quando estiver no auge da forma física. Você ouve os muitos elogios que os seus companheiros de escritório vão te fazer quando passar por eles com um físico esbelto e alinhado. Você se concentra naquilo que vai poder realizar com o aumento de energia que um programa de exercícios regulares vai trazer. Agora não haverá mais noites na frente da televisão porque você está cansado demais para fazer qualquer coisa depois de um longo dia no tribunal. Os seus dias vão ser cheios de vitalidade, entusiasmo e sentido.

— Mas digamos que eu faça isso e ainda sinta que voltar a dormir vai ser melhor do que dar uma corrida?

— No começo, nos primeiros dias, vai ser meio difícil, e você vai sentir vontade de voltar aos velhos hábitos. Mas o iogue Raman acreditava muito fortemente num princípio antigo em especial: *o positivo sempre se sobrepõe ao negativo*. Assim, se você continuar a travar uma guerra contra os pensamentos mais baixos, que podem ter invadido silenciosamente o palácio da sua mente ao longo dos anos, com o tempo eles vão perceber que não são mais desejados e irão embora como hóspedes que sabem que não são mais bem-vindos.

— Você está me dizendo que pensamentos são coisas físicas?

— Sim, e estão totalmente ao seu controle. Você pode pensar positivo com a mesma facilidade com que pode pensar negativo.

— Então por que tanta gente se preocupa e se concentra em todas as informações negativas que existem no mundo?

— Porque elas não aprenderam a arte do autocontrole e do pensamento disciplinado. A maioria das pessoas com quem falei não tem a menor ideia de que possui o poder de controlar todo e qualquer pensamento que elas têm, em todos os segundos de todos os minutos de todos os dias. Elas acreditam que os pensamentos apenas vêm e vão e nunca percebem que, se não tirarem um tempo para começar a controlá-los, eles é que vão as controlar. Quando você começar a pensar só em coisas boas e se recusar a pensar em coisas ruins pela simples força de vontade, eu prometo que os pensamentos negativos vão desaparecer muito rapidamente.

— Por isso, se eu quiser ter a força interior para me levantar mais cedo, comer menos, ler mais, me preocupar menos, ter mais paciência ou ser mais carinhoso, tudo o que tenho que fazer é impor a minha força de vontade e limpar os meus pensamentos?

— Quando você controla os seus pensamentos, controla a sua mente. Quando você controla a sua mente, controla a sua vida. E quando você chega ao ponto de estar no comando absoluto da sua vida, torna-se o mestre do seu destino.

Eu precisava ouvir isso. No decorrer daquela noite estranha, mas inspiradora, eu tinha passado de um profissional cético (que analisava cuidadosamente um advogado figurão que se transformara num iogue) para um crente cujos olhos estavam se abrindo pela primeira vez em muitos anos. Eu queria que Jenny tivesse ouvido aquilo tudo. Aliás, queria que os meus filhos também ouvissem aquela sabedoria. Eu sabia que isso iria afetá-los tanto quanto a mim. Eu sempre planejara ser um pai de família melhor e viver mais plenamente, mas sempre achava que estava ocupado demais apagando aqueles pequenos incêndios da vida que pareciam tão urgentes. Talvez isso fosse uma fraqueza, uma falta de autocontrole, talvez uma incapacidade de ver a floresta e não só as árvores. A vida estava passando rapidamente. Parece que foi ontem que eu era um advogado jovem, cheio de energia e entusiasmo. Naquela época, eu sonhava em ser um líder político ou até mesmo um juiz da Suprema Corte. Mas com o tempo eu me acomodei numa rotina. Mesmo no seu tempo de advogado arrogante, Julian costumava me dizer que "a complacência mata". Quanto mais eu pensava sobre isso, mais percebia que havia perdido a minha fome. Não era a fome de ter uma casa maior, ou um carro mais rápido. Era uma fome bem mais profunda: uma fome de levar uma vida com mais significado, mais festa e maior satisfação.

Comecei a sonhar acordado enquanto Julian continuava a falar. Sem prestar atenção no que ele dizia, me vi primeiro como um homem de 50 e depois de 60 anos. Será que eu continuaria preso ao mesmo emprego, com as mesmas pessoas, encarando as mesmas lutas àquela altura da vida? Eu odiava isso. Eu sempre quis contribuir para o mundo de alguma maneira e com certeza não estava fazendo isso agora. Acho que foi nesse momento, com Julian ao meu lado na sala de estar, naquela noite quente de julho, que eu mudei. Os japoneses chamam isso de *satori*, que significa *despertar instantâneo*, e foi exatamente isso que aconteceu. Eu me decidi a realizar os meus sonhos e a tornar a minha vida muito maior do que ela sempre foi. Esse foi o meu primeiro e verdadeiro gosto de liberdade, a liberdade que chega quando você decide, de uma vez por todas, assumir as rédeas da sua vida e de todos os elementos que a constituem.

— Vou te dar uma fórmula para desenvolver a força de vontade — disse Julian, que não fazia a menor ideia da transformação pessoal que eu tinha acabado de vivenciar. — A sabedoria, sem as devidas ferramentas para ser aplicada, não é sabedoria alguma.

Ele continuou:

— Todo o dia, enquanto estiver caminhando até o trabalho, eu gostaria que você repetisse umas poucas palavras.

— É um daqueles mantras de que você me falou agora há pouco?

— É, sim. Ele já existe há mais de 5 mil anos, embora só o pequeno grupo de monges de Sivana o conheça. O iogue Raman disse que, pela repetição dele, em pouco tempo eu desenvolveria um autocontrole e uma vontade indomáveis. Lembre-se de que as palavras exercem grande influência. As palavras são a incorporação verbal do poder. Ao encher a sua mente com palavras de esperança, você passa a ter esperança. Ao encher a sua mente com palavras gentis, você passa a ser gentil. Ao encher a sua mente com palavras de coragem, você se torna corajoso. As palavras têm poder — observou Julian.

— Muito bem. Estou ouvindo.

— Este é o mantra que eu sugiro que você repita pelo menos trinta vezes por dia: "*Eu sou mais do que aparento ser. Toda a força e o poder do mundo residem dentro de mim.*" Ele vai manifestar mudanças profundas na sua vida. Se quiser um resultado ainda mais rápido, misture esse mantra com a prática da visualização criativa que eu comentei antes. Por exemplo, vá para um lugar tranquilo, sente-se com os olhos fechados. Não deixe os pensamentos vagarem. Mantenha o corpo relaxado, já que o sinal mais certo de uma mente fraca é um corpo que não consegue descansar. Aí, repita o mantra em voz alta, muitas e muitas vezes. Enquanto você faz isso, veja-se como uma pessoa firme e disciplinada, no controle total da própria mente, do corpo e do espírito. Veja-se agindo como Gandhi ou Madre Teresa de Calcutá agiriam numa situação difícil. Resultados surpreendentes com certeza irão surgir — prometeu.

— E é só isso? — perguntei, surpreso pela aparente simplicidade da fórmula. — Posso explorar todas as minhas reservas de força de vontade com um exercício tão simples como esse?

— Essa técnica tem sido ensinada pelos professores espirituais do Oriente há séculos. E só sobreviveu até hoje por uma única razão: ela funciona. Como sempre, julgue a partir dos resultados. Se estiver interessado, posso oferecer mais dois exercícios para liberar a sua força de vontade e cultivar a disciplina interior. Mas deixe-me avisá-lo que eles podem parecer meio estranhos, à primeira vista.

— Ei, Julian, estou totalmente fascinado por tudo o que ouvi até agora. Você está indo muito bem, então é só continuar.

— Ok. A primeira coisa é fazer aquilo que você não gosta de fazer. No seu caso, pode ser algo tão simples como arrumar a cama de manhã ou ir a pé para o trabalho, em vez de usar o carro. Ao entrar no hábito de exercitar a sua vontade, você vai deixar de ser um escravo dos seus impulsos mais basais.

— Então é uma questão de usar ou perder?

— Exatamente. Para aumentar a vontade e a força interior, você precisa antes fazer uso dela. Quanto mais você exercitar e alimentar o embrião da autodisciplina, mais rápido ela vai amadurecer e lhe dar os resultados que você deseja. O segundo exercício é um dos favoritos do iogue Raman. Ele costumava ficar um dia inteiro sem falar, a não ser para responder a uma pergunta direta.

— Como se fosse um voto de silêncio?

— Na verdade, era exatamente isso. Os monges tibetanos que popularizaram essa prática acreditavam que segurar a língua por um longo período de tempo tinha o efeito de aumentar a disciplina de uma pessoa.

— Como?

— Basicamente, ficando em silêncio um dia inteiro, você está condicionando a sua vontade a respeitar o seu comando. Cada vez que a vontade de falar aparecer, você refreia ativamente esse impulso e fica quieto. Veja que a sua vontade não tem uma mente própria. Ela fica esperando as suas instruções, que vão colocá-la em ação. Quanto mais controle você exercer sobre ela, mais poderosa se tornará. O problema é que a maioria das pessoas não utiliza a própria força de vontade.

— E por que não?

— Provavelmente porque a maioria das pessoas acredita que não tem força alguma. Elas culpam tudo e todos, menos elas mesmas, por essa aparente fragilidade. Quem tem um temperamento cruel vai dizer que "não posso fazer nada, puxei ao meu pai". Quem se preocupa demais diz: "Não é minha culpa, meu trabalho é muito estressante." Quem dorme demais diz "o que eu posso fazer se meu corpo necessita de dez horas de descanso por noite?". Essas pessoas não têm a responsabilidade por si próprias que surge quando se conhece o potencial extraordinário existente no fundo de cada um de nós, esperando uma inspiração para ser posto em prática. Quando você passar a conhecer as leis atemporais da natureza, aquelas que regem a operação deste universo e de tudo o que está nele, também compreenderá que é um direito divino seu ser tudo o que você pode ser. Você tem o poder de ser mais do que o seu ambiente. Da mesma maneira, tem a capacidade de ser mais do que um prisioneiro do seu passado. Para fazer isso, precisa se tornar o mestre da sua vontade.

— Parece bem difícil.

— Na verdade, até que é um conceito bem prático. Imagine o que você seria capaz de fazer se dobrasse ou triplicasse a força de vontade que já possui atualmente. Você poderia fazer aquela série de exercícios que já vinha pensando em começar; poderia utilizar o seu tempo com muito mais eficiência; poderia apagar o hábito de preocupação de uma vez por todas; ou poderia ser o esposo ideal. Utilizar a sua vontade permite que você realmente o gosto e a energia de viver que parece acreditar que perdeu. É uma área vital na qual deve se concentrar.

— Então o ponto principal é que devo começar a aplicar a minha força de vontade regularmente.

— Isso. Decida que você vai fazer as coisas que já deveria estar fazendo, em vez de escolher o caminho de menor resistência. Comece a lutar contra a força da gravidade dos seus maus hábitos e dos seus impulsos mais básicos, da mesma maneira que um foguete sobe contra a força da gravidade para entrar na estratosfera. Esforce-se. E veja o que acontece numa questão de semanas.

— E o mantra vai me ajudar?

— Vai. O mantra que te dei, além da prática diária de imaginar como você gostaria de ser, te dará um apoio enorme, enquanto você cria a vida disciplinada e cheia de princípios que conectará você aos seus sonhos. E você não precisa mudar o seu mundo inteiro em um só dia. Comece com um pedacinho. Uma viagem de mil quilômetros começa sempre com o primeiro passo. Nós nos tornamos grandes em etapas. O simples fato de você treinar para acordar uma hora mais cedo e manter esse belo hábito vai aumentar a sua autoconfiança e inspirá-lo a chegar a pontos ainda mais altos.

— Eu não consigo ver o que uma coisa tem a ver com a outra.

— Pequenas vitórias levam a grandes vitórias. Você precisa construir em cima das pequenas para atingir as grandes. Ao dar sequência a uma decisão tão simples como acordar cedo todo dia, você vai sentir o prazer e a gratificação que as realizações trazem dentro delas. Você estabeleceu uma meta e cumpriu. A sensação é boa. O segredo é continuar a aumentar a altura e elevar os seus padrões regularmente. Isso vai liberar a qualidade mágica do embalo que vai motivá-lo a continuar explorando o seu potencial infinito. Você gosta de esquiar? — perguntou Julian, abruptamente.

— Adoro — respondi. — Eu e Jenny levamos as crianças para as montanhas sempre que podemos, o que não é muito frequente, para infelicidade dela.

— Muito bem. Pense na sensação de quando você toma impulso no alto de uma montanha. No começo, você vai devagar. Mas um minuto depois está voando morro abaixo como se não houvesse amanhã. Não é isso?

— Eu sou o próprio Esquiador Ninja! Adoro a adrenalina da velocidade!

— E o que faz você descer tão rápido?

— Será que é o meu físico aerodinâmico? — brinquei.

— Foi uma boa tentativa — riu Julian. — Mas a resposta certa é o momento, o embalo. O momento é o ingrediente secreto para se construir a autodisciplina. Como eu falei, você começa devagar, e pode ser que isso signifique acordar um pouco mais cedo, começar a dar uma volta no quarteirão toda noite ou até treinar desligar a televisão quando notar que já foi o suficiente. Essas pequenas vitórias criam o momento que deixa você animado para dar passos maiores no caminho do seu eu superior. Logo você vai estar fazendo coisas que nunca imaginava ser capaz de fazer, com um vigor e uma energia que nunca pensou que tivesse. É um processo incrível, John, de verdade. E o cabo elétrico cor-de-rosa na fábula mágica do iogue Raman sempre vai lembrá-lo do poder da sua vontade.

Exatamente quando Julian terminava de revelar suas ideias sobre disciplina, percebi que os primeiros raios de sol entravam na sala, afastando a escuridão como uma criança empurrando um cobertor que está quente demais.

"Este vai ser um grande dia", pensei. "O primeiro dia do resto da minha vida."

◎◎ O SÍMBOLO ◎◎

◎◎ A VIRTUDE ◎◎

Viver com Disciplina

◎◎ A SABEDORIA ◎◎

A disciplina é construída com pequenos atos de coragem

Quanto mais você alimentar o embrião da autodisciplina,
mais ela vai amadurecer

A força de vontade é a virtude fundamental
de uma vida plena de realizações

◎◎ AS TÉCNICAS ◎◎

Mantras/Visualização Criativa

Voto de Silêncio

◎◎ CITAÇÃO PARA GUARDAR ◎◎

Declare guerra aos pensamentos mais baixos que invadiram o palácio da sua mente. Eles vão ver que não são desejados e irão embora como hóspedes que não são mais bem-vindos.

SEU BEM MAIS PRECIOSO 11

O tempo, quando bem-organizado, é a marca mais certa de uma mente bem-organizada.

Sir Isaac Pitman

— SABE O QUE é que a vida tem de mais engraçado? — perguntou Julian.
— O quê?
— Quando a maioria das pessoas descobre o que realmente quer da vida e a maneira de alcançá-lo, geralmente já é tarde demais. Aquela expressão "se a juventude soubesse e a idade permitisse..." é uma grande verdade.
— E é sobre isso que fala o cronômetro na fábula do iogue Raman?
— É. O lutador de sumô de 3 metros de altura e 400 quilos, com o cabo elétrico cor-de-rosa que cobre as suas partes íntimas, escorrega num reluzente cronômetro de ouro que alguém deixara cair naquele lindo jardim — Julian me lembrou.
— Uma cena difícil de esquecer — respondi, abrindo um sorriso.

A essa altura, eu já havia percebido que a fábula mística do iogue Raman não era mais do que uma série de ganchos de memória projetados para ensinar a Julian os elementos da antiga filosofia para uma vida iluminada, enquanto ao mesmo tempo ajudava a lembrar. Comentei essa descoberta com ele.

— Ah, o sexto sentido de um guerreiro. Você está totalmente certo. Os métodos do meu sábio professor pareciam meio esquisitos no começo e eu lutei para compreender o significado dessa história, da mesma maneira como você se fez as mesmas perguntas quando contei a você. Mas eu tenho que dizer, John, que todos os elementos da história, do jardim ao lutador de sumô, até as rosas amarelas e o caminho de diamantes, aos quais eu ainda vou chegar, servem como lembretes poderosos da sabedoria que aprendi em Sivana. O jardim me mantém concentrado em ter sempre pensamentos inspirados, o farol me faz lembrar que o propósito da vida é uma vida com propósito, o lutador de sumô me mantém focado na minha contínua autodescoberta, enquanto o cabo elétrico cor-de-rosa me liga às maravilhas da força de vontade. Não se passa um dia sem que eu pense nessa fábula e nos princípios que o iogue Raman me ensinou.

— E o cronômetro de ouro representa exatamente o quê?

— Ele é um símbolo do seu bem mais precioso: o tempo.

— E o pensamento positivo e o autodomínio?

— Eles não significam nada sem o fator tempo. Uns seis meses depois que eu fiz do magnífico retiro de Sivana o meu lar temporário, uma das sábias veio à minha cabana de rosas enquanto eu estava estudando. O nome dela era Divea. Era uma mulher linda, com cabelos bem pretos que batiam na linha da cintura, e, com uma voz muito doce e gentil, ela me informou que era a mais jovem de todos os sábios que viviam naquela abóboda secreta nas montanhas. Também me disse que tinha vindo instruída pelo iogue Raman, que disse que eu era o melhor aluno que ele já teve na vida.

"'Talvez tenha sido toda a dor que você sofreu na sua antiga vida que permitiu que você abraçasse a nossa sabedoria com um coração tão aberto', ela afirmou. 'Sendo a pessoa mais jovem da nossa comunidade, me pediram para eu lhe dar um presente. Ele é de todos nós e nós o oferecemos como um símbolo do nosso respeito por você, que veio de tão longe para aprender o nosso jeito de ser. Em nenhum momento, você nos julgou ou ridicularizou as nossas tradições. Por isso, e embora você tenha decidido nos deixar daqui a algumas semanas, nós o consideramos um dos nossos. Nenhuma pessoa de fora jamais recebeu o presente que eu vou lhe dar.'"

— E qual era o presente? — perguntei, impaciente.

— Divea tirou um objeto da bolsa de algodão artesanal e me deu. Embrulhado num tipo de papel perfumado havia uma coisa que eu nunca imaginei que fosse encontrar lá, nem em um milhão de anos. Era uma ampulheta em miniatura, feita de vidro e um pequeno pedaço de madeira de sândalo. Vendo a minha expressão, Divea me disse rapidamente que todos os sábios recebiam uma igual quando eram crianças. "Embora nós não tenhamos posses e levemos vidas puras e simples, respeitamos o tempo e vemos como ele passa. Essas pequenas ampulhetas servem como lembretes diários da nossa mortalidade e da importância de viver dias plenos e produtivos, enquanto avançamos nos nossos objetivos."

— Esses monges nos confins do Himalaia marcavam as horas?

— Todos eles compreendiam a importância do tempo. Cada um desenvolveu o que eu chamo de uma "consciência do tempo". Olha só. Eu aprendi que o tempo escapa das nossas mãos como grãos de areia, para nunca mais voltar. Os que usam o tempo sabiamente desde cedo são recompensados com vidas ricas, produtivas e que os satisfazem. Os que nunca foram apresentados ao princípio de que "o domínio do tempo é o domínio da vida" nunca vão perceber seu enorme potencial humano. O tempo é a grande alavanca. Independentemente de termos nascido com privilégios ou dificuldades, de morarmos no Texas ou em Tóquio, todos nós recebemos dias com apenas 24 horas. O que separa aqueles que constroem vidas excepcionais daqueles que apenas "cumprem tabela" é a maneira de utilizarem esse tempo.

— Um dia eu ouvi o meu pai dizer que as pessoas mais ocupadas são as que mais têm tempo de sobra. O que você acha disso?

— Eu concordo. Pessoas ocupadas e produtivas são extremamente eficientes ao lidar com o tempo. Elas precisam ser, para sobreviver. Ser um excelente administrador do tempo não significa que você tenha que se transformar num workaholic. Ao contrário, o domínio do tempo permite que você tenha mais tempo para as coisas que realmente ama fazer, aquilo que realmente significa algo para você. O domínio do tempo leva ao domínio da vida. Cuide bem dele. Lembre-se de que ele é um recurso não renovável.

"Deixa eu te dar um exemplo. Vamos dizer que hoje seja segunda-feira de manhã e a sua agenda esteja lotada de compromissos, reuniões e audiências no tribunal. Em vez de acordar no horário habitual das 6h30 e engolir depressa uma xícara de café, sair correndo para o trabalho e passar um dia estressante "correndo atrás" dos outros, digamos que você tenha tirado 15 minutos na noite anterior para planejar o seu dia. Ou, para ser ainda mais eficiente, digamos que você tenha tirado uma hora da sua tranquila manhã de domingo para organizar a semana inteira. Na sua agenda, você escreveu quando iria se encontrar com os clientes, quando faria as suas pesquisas jurídicas e quando retornaria as ligações telefônicas. E, o mais importante, as suas metas pessoais, sociais e espirituais para a semana também entraram nessa agenda. Essa atitude simples é o segredo para uma vida equilibrada. Ao ancorar todos os aspectos mais vitais da sua vida na sua agenda, você garante que a sua semana e a sua vida vão manter uma sensação de paz e significado."

— Você não vai me dizer que está sugerindo que eu tire uma folga no meio do meu dia ocupadíssimo para meditar ou andar no parque.

— Estou, sim. Por que você se prende com tanta rigidez às convenções? Por que você acha que tem que fazer as coisas do mesmo jeito que todo mundo? Dispute a sua própria corrida. Por que não começar a trabalhar uma hora mais cedo, para se dar ao luxo de fazer um passeio tranquilo naquele belo parque em frente ao escritório? Ou por que não trabalhar algumas horas a mais no começo da semana, para poder sair mais cedo na sexta-feira e levar os seus filhos ao zoológico? Por que não começar a trabalhar em casa duas vezes por semana, para poder passar mais tempo com a família? Tudo o que eu estou dizendo para você fazer é planejar a semana e administrar o seu tempo de maneira criativa. Tenha disciplina para concentrar o seu tempo ao redor das suas prioridades. As coisas mais importantes da sua vida não devem ser sacrificadas em favor daquelas que não são tão importantes. E não se esqueça de que falhar em planejar é planejar falhar. Ao relacionar no papel não só os compromissos que você tem com os outros, mas também aqueles muito importantes que você tem consigo mesmo para ler, relaxar e escrever uma carta de amor para a sua esposa, você vai ser muito mais produtivo com o seu tempo. Lembre-se sempre de que o tempo que você gasta enriquecendo as horas em que você não está trabalhando jamais é um desperdício. Ele permite que você seja extremamente eficiente nas horas em que trabalha. Por isso, pare de viver em compartimentos e compreenda de uma vez por todas que tudo o que você faz constitui um todo indivisível. A maneira como você se comporta em casa afeta a maneira como você age no trabalho. A maneira como você trata as pessoas no escritório afeta a maneira como você vai tratar a sua família e os seus amigos.

— Eu concordo, Julian, mas realmente não tenho tempo para fazer uma pausa no meio do dia. Atualmente, eu trabalho quase toda noite. A minha agenda está realmente sobrecarregada.

— E quando eu disse isso, meu estômago se apertou só de pensar na tonelada de trabalho que me esperava.

— Estar ocupado demais não é desculpa. A verdadeira pergunta é: o que o ocupa tanto? Uma das grandes regras que aprendi com aquele velho sábio é que 80% dos resultados que conseguimos na vida vêm de apenas 20% das atividades que tomam nosso tempo. O iogue Raman chamava isso de "A Antiga Regra dos Vinte".

— Eu não sei bem se estou entendendo.

— Muito bem. Vamos voltar à sua ocupadíssima segunda-feira. Da manhã até a noite, você pode passar o seu tempo fazendo qualquer coisa, desde falar ao telefone com os clientes até redigir petições, ler uma história para o seu filho mais novo ou jogar xadrez com a sua mulher. Me acompanhou até aqui?

— Sim.

— Mas, entre as centenas de atividades às quais você dedica o seu tempo, só uns 20% vão dar resultados reais e duradouros. Só uns 20% daquilo que você faz vão ter alguma influência na sua qualidade de vida. Essas são as suas atividades de "alto impacto". Por exemplo, daqui a dez anos, você realmente acha que todo o tempo que ficou de papo furado ao lado do bebedouro ou sentado num restaurante cheio de fumaça ou vendo televisão vão valer de alguma coisa?

— Sinceramente, não.

— Exatamente. Por outro lado, estou certo de que você também vai concordar que algumas atividades vão contar muito.

— Você diz o tempo que eu passo aperfeiçoando os meus conhecimentos jurídicos, melhorando as minhas relações com os clientes e o tempo que gasto para me tornar um advogado mais eficiente?

— Tudo isso e mais o tempo em que você cultiva o seu relacionamento com a Jenny e as crianças. O tempo que gasta se conectando à natureza e demonstrando gratidão por todas as coisas que você tem a felicidade de possuir. O tempo que você gasta renovando a sua mente, o seu corpo e o seu espírito. Essas são apenas algumas das atividades de alto impacto que te permitem desenhar a vida que você merece. Dirija todo o seu tempo a essas atividades, que realmente contam. *As pessoas iluminadas são movidas por prioridades.* Esse é o segredo do domínio do tempo.

— Uau. Foi o iogue Raman que te ensinou tudo isso?

— Eu me tornei um estudioso da vida, John. O iogue Raman certamente foi um professor magnífico e muito inspirador, e eu nunca vou me esquecer dele. Mas todas as lições que eu aprendi a partir das minhas várias experiências agora se juntaram como as partes de um grande quebra-cabeça, para me mostrar o caminho para uma vida melhor.

Julian ainda falou:

— Eu espero que você aprenda com os erros que eu cometi. Algumas pessoas aprendem com os erros dos outros. São as inteligentes. Outras acreditam que o verdadeiro aprendizado vem apenas da experiência pessoal. Pessoas como essas passam por dores desnecessárias no decorrer da vida.

Como advogado, eu tinha participado de muitos seminários. No entanto, eu nunca tinha ouvido sobre a filosofia do domínio do tempo que Julian estava compartilhando comigo nesse momento. A administração do tempo não era algo em que devêssemos prestar atenção apenas no escritório e deixar para lá quando fôssemos embora. Era um sistema holístico que podia deixar *todas* as áreas da minha vida mais equilibradas e satisfatórias, se aplicadas corretamente. Eu aprendi que, planejando os meus dias e tirando um tempo para me assegurar de que estava utilizando bem o meu tempo, eu não só seria muito mais produtivo — seria muito mais feliz.

— Quer dizer que a vida é como uma enorme fatia de bacon — comentei. — Tem que se separar a carne da gordura para se ter o domínio do tempo.

— Muito bem. Agora você aprendeu. E, apesar do meu lado vegetariano não gostar, eu adorei a sua analogia, porque ela vai bem no alvo. Quando você usa o seu tempo e a sua preciosa energia mental para se concentrar na carne, você não tem tempo a perder com a gordura. É nesse ponto que a sua vida sai do campo do ordinário e entra no mundo singular da vida extraordinária. É aí que você realmente faz as coisas acontecerem e as portas para o templo da iluminação de repente se abrem — observou Julian.

"O que me leva a mais uma questão. Não permita que as outras pessoas roubem o seu tempo. Cuidado com esse tipo de ladrão. É o tipo de gente que sempre liga quando você acabou de botar as crianças para dormir e se sentar no seu lugar favorito para ler aquele romance emocionante do qual você ouviu tanta gente falar. São pessoas que adoram passar na sua sala exatamente quando você encontrou alguns minutos de paz no meio de um dia apertado para se recompor e colocar os pensamentos em ordem. Isso acontece com você?"

— Como sempre, Julian, você acertou bem na mosca. Eu acho que sempre fui educado demais para pedir que elas se retirassem, ou para trancar a minha porta — confessei.

— Você tem que defender o seu tempo com unhas e dentes. Aprenda a dizer não. Ter a coragem de dizer não para as pequenas coisas da sua vida vai te dar o poder de dizer sim para as grandes coisas. Feche a porta da sua sala quando precisar de algumas horas para trabalhar num processo importante. Lembre-se daquilo que eu te disse. Não atenda o telefone toda vez que ele tocar. Ele existe para a *sua* conveniência, e não para a conveniência dos outros. Ironicamente, as pessoas vão te respeitar mais quando virem que você é uma pessoa que dá valor ao seu tempo. Vão ver que o seu tempo é precioso e vão dar a valor a ele.

— E os adiamentos? Muitas vezes eu me vejo adiando coisas que não gosto de fazer e em vez disso me pego lendo e-mails na caixa de spams ou folheando revistas de Direito. Será que eu só estou deixando o tempo passar?

— "Deixar o tempo passar" é uma boa metáfora. É verdade que é parte da natureza humana realizar aquilo que nos faz sentir bem e evitar o que nos faz sentir mal. Mas, como eu disse antes, as pessoas mais produtivas do mundo são aquelas que cultivaram o hábito de fazer as coisas que as menos produtivas não gostam de fazer, mesmo que elas também não gostem.

    Parei e fiquei pensando profundamente no princípio que eu tinha acabado de ouvir. Talvez o meu problema não fossem os adiamentos. Talvez simplesmente a minha vida tivesse ficado complicada demais. Julian sentiu a minha inquietude.

    — O iogue Raman me disse que todas as pessoas que dominaram o tempo têm vidas simples. Um ritmo frenético e apressado não foi aquilo que a natureza imaginou. Apesar de ele acreditar piamente que a felicidade duradoura só podia ser atingida por quem fosse eficiente e estabelecesse metas claras para si mesmo, levar uma vida cheia de realizações e de contribuição aos outros não tinha que vir pelo sacrifício da tranquilidade pessoal. Foi isso o que eu achei tão fascinante no conhecimento que estava recebendo. Isso me permitia ser produtivo e ainda assim realizar os meus anseios espirituais.

    Comecei a me abrir ainda mais com Julian.

    — Você sempre foi honesto e direto comigo, por isso eu também vou ser assim com você. Não quero largar o meu trabalho, nem a minha casa e nem o meu carro para ficar mais feliz e satisfeito. Gosto dos meus brinquedinhos e das coisas materiais que eu conquistei. São as minhas recompensas depois de todas as horas que eu trabalhei desde que a gente se conheceu. Mas eu me sinto vazio de verdade. Eu te falei dos meus sonhos da época da faculdade de Direito. Tem muito mais coisas que eu poderia fazer na minha vida. Você sabe que eu já tenho quase 40 anos e nunca fui ao Grand Canyon, nem à torre Eiffel. Nunca passeei num deserto, nem de canoa num lago tranquilo num magnífico dia de verão. Nem uma única vez tirei as meias e os sapatos e andei descalço num parque, ouvindo o riso das crianças e os latidos dos cachorros. Não consigo nem me lembrar de qual foi a última vez que eu dei uma rápida caminhada sozinho depois de a neve cair, só para ouvir os sons e curtir a sensação.

— Nesse caso, simplifique a sua vida — sugeriu Julian, simpático. — Aplique o velho Ritual da Simplicidade a todos os aspectos do seu mundo. Ao fazer isso, você vai estar destinado a ter mais tempo para saborear esses momentos gloriosos. Uma das coisas mais trágicas que qualquer um de nós pode fazer é adiar viver a vida. Tem muita gente que sonha com algum jardim de rosas mágico no horizonte, em vez de curtir o que tem no quintal de casa. É uma desgraça.

— E você tem alguma sugestão?

— *Isso* eu vou deixar por conta da sua imaginação. Eu compartilhei com você muitas das estratégias que aprendi com os sábios. Elas vão fazer maravilhas se você tiver a coragem de aplicá-las. Ah, isso me lembra de mais uma coisa que eu sempre faço para me certificar de que a minha vida seja sempre simples e tranquila.

— O que é?

— Eu adoro tirar um cochilo à tarde. Acho que isso me mantém energizado, novo e jovial. Pode-se dizer que eu preciso de um sono reparador — riu Julian.

— Um sono reparador nunca foi um dos seus pontos fortes.

— E o senso de humor sempre foi um dos seus e por isso eu te parabenizo. Sempre se lembre do poder do riso. Como a música, ele é um tônico maravilhoso para o estresse e as tensões da vida. Acho que o iogue Raman colocou muito bem quando disse: "O riso abre o coração e tranquiliza a alma. Ninguém nunca deveria levar a vida tão a sério, a ponto de se esquecer de rir de si mesmo."

Julian ainda tinha uma última reflexão sobre esse assunto:

— Talvez o mais importante, John, seja parar de agir como se a vida fosse durar quinhentos anos. Quando Divea me trouxe aquela pequena ampulheta, ela me deu um conselho do qual nunca mais vou me esquecer.

— O que foi que ela disse?

— Ela disse que a melhor época para se plantar uma árvore foi há quarenta anos. A segunda melhor é agora. Não perca um único minuto do seu dia. Tenha uma mentalidade de leito de morte.

— Hein? — perguntei, espantado com a imagem que Julian havia empregado. — O que é uma mentalidade de leito de morte?

— É uma nova maneira de ver a vida, um paradigma que te dá mais poder, se preferir colocar dessa maneira. Algo que faz você lembrar que este pode ser o seu último dia na Terra e por isso você deve aproveitá-lo ao máximo.

— Bem, se você quiser a minha opinião, isso parece ser um pouco mórbido. Me faz pensar na morte.

— Mas, na verdade, é uma filosofia de vida. Quando você adota uma mentalidade de leito de morte, vive cada dia como se fosse o último. Imagine acordar de manhã todo dia e se fazer uma pergunta simples: "O que eu faria se este fosse o meu último dia?" Aí pense em como você trataria a sua família, os seus colegas e até as pessoas que você não conhece. Pense no quanto você ficaria animado e disposto a aproveitar cada momento ao máximo. Essa questão do leito de morte, sozinha, tem o poder de mudar a sua vida. Ela vai energizar os seus dias e trazer uma onda de garra e força de vontade a tudo aquilo que você faz. Você vai começar a se concentrar em todas as coisas importantes que vem adiando e parar de desperdiçar o seu tempo com essas coisas pequenas, que arrastaram você para um poço de crises e de caos.

"Obrigue-se a fazer mais e a experimentar mais. Busque energia para começar a ampliar os seus sonhos. É isso aí, ampliar os seus sonhos. Não aceite uma vida medíocre quando você tem um potencial infinito dentro da fortaleza da sua mente. Ouse penetrar nessa onda de grandeza. É um direito natural seu!

— Isso tudo é muito poderoso.

— E tem mais. Existe um remédio simples que pode quebrar aquela espécie de transe de frustração que incomoda tanta gente.

— Eu ainda estou boiando.

— Aja como se o fracasso fosse impossível e o sucesso virá com certeza. Tire da cabeça qualquer pensamento de não atingir os seus objetivos, sejam eles materiais ou espirituais. Seja corajoso e não ponha limites às engrenagens da sua imaginação. Não seja nunca um prisioneiro do seu passado e sim um arquiteto do seu futuro. Você nunca mais vai ser o mesmo.

Enquanto a cidade começava a acordar e a manhã atingia toda a sua intensidade, meu amigo que não tinha idade começou a dar os primeiros sinais de cansaço, depois de uma noite inteira dividindo seus conhecimentos com um aluno ansioso. Fiquei impressionado com a capacidade de Julian, sua energia sem limites e seu entusiasmo infinito. Ele não era só papo. Ele também fazia acontecer.

— Agora nós estamos chegando ao fim da fábula mágica do iogue Raman e nos aproximando do momento em que eu vou ter que ir embora — disse, docemente. — Ainda tenho muito o que fazer e muita gente para encontrar.

— Você vai contar aos sócios que está de volta à cidade? — perguntei, sem poder conter a minha curiosidade.

— Provavelmente não — respondeu Julian. — Sou muito diferente do Julian Mantle que você conheceu. Eu não tenho os mesmos pensamentos, não uso as mesmas roupas e não faço mais as mesmas coisas. Eu sou uma pessoa fundamentalmente modificada. Eles nem iriam me reconhecer.

— Você é realmente um novo homem — concordei, rindo por dentro enquanto imaginava esse monge místico, paramentado com o robe de Sivana, entrando na reluzente Ferrari vermelha da sua antiga vida.

— Um novo ser talvez fosse ainda mais preciso.

— Eu não consigo ver a diferença.

— A Índia tem um velho ditado que diz: "Nós não somos seres humanos tendo uma experiência espiritual. Somos seres espirituais tendo uma experiência humana." Agora entendo o meu papel no universo. Eu sei o que sou. Não estou mais no mundo. O mundo é que está dentro de mim.

— Vou precisar de mais um tempinho para digerir isso — comentei, na mais absoluta honestidade, sem entender totalmente o que Julian estava falando.

— Perfeitamente. Eu entendo, meu amigo. Vai chegar um dia em que você vai entender. Se seguir os princípios que eu revelei para você e aplicar as técnicas de que falei aqui, você com certeza vai avançar no caminho para a iluminação. Vai conquistar a arte do domínio pessoal. Vai ver a sua vida como ela realmente é: um pequeno facho de luz na tela da eternidade. E vai ver perfeitamente quem você é e qual o seu verdadeiro propósito na vida.

— Que é...?

— Servir, é claro. Independentemente do tamanho que tiver a sua casa ou do quanto o seu carro é bonito, a única coisa que pode levar com você no final da sua vida é a sua consciência. Ouça a voz da sua consciência. Deixa ela te guiar. Ela sabe o que é certo. Vai te dizer que, no fim das contas, a sua vocação na vida é servir aos outros, de um jeito ou de outro. Foi isso o que a minha odisseia pessoal me ensinou. E agora tem tanta gente que eu preciso encontrar, servir e curar. Minha missão é espalhar a sabedoria antiga dos Sábios de Sivana para todos aqueles que precisam ouvi-la. Esse é o meu propósito.

O fogo do conhecimento havia abastecido o espírito de Julian — isso era óbvio, até para uma alma como a minha, que não tinha atingido a iluminação. Ele era tão apaixonado, tão comprometido e tão fervoroso naquilo que dizia que isso se refletia até numa dimensão física. Sua transformação de um advogado velho e frágil num jovem e vigoroso Adônis não se deveu a uma mera mudança na alimentação ou a uma dose diária de exercícios de resultados rápidos. Nada disso. Foi uma panaceia muito mais profunda que Julian encontrou naquelas montanhas majestosas. Ele tinha encontrado o segredo que as pessoas, através dos séculos, estiveram procurando. Era mais do que o segredo da juventude, da realização ou da alegria. Julian tinha descoberto o Segredo do Eu.

❧ O SÍMBOLO ❧

❧ A VIRTUDE ❧

Respeite o seu Tempo

❧ A SABEDORIA ❧

O tempo é o seu bem mais precioso
e ele não é renovável

Concentre-se nas suas prioridades
e mantenha o equilíbrio

Simplifique a sua vida

❧ AS TÉCNICAS ❧

A Antiga Regra dos 20

Tenha a Coragem de Dizer "NÃO"

Mentalidade do Leito de Morte

❧ CITAÇÃO PARA GUARDAR ❧

O tempo escapa pelas nossas mãos como grãos de areia, para nunca mais voltar. Os que usam o tempo sabiamente desde cedo são recompensados com vidas ricas, produtivas e que os satisfazem.

O VERDADEIRO PROPÓSITO DA VIDA 12

Tudo o que vive não vive sozinho, só para si mesmo.

William Blake

— OS SÁBIOS DE Sivana não eram só as pessoas mais joviais que eu já vi na vida — comentou Julian. — Também eram, sem dúvida alguma, as mais gentis.

"O iogue Raman me contou que, quando era criança, enquanto esperava o sono chegar, seu pai entrava de mansinho na cabana coberta de rosas e perguntava quais as boas ações que ele praticara no decorrer daquele dia. Acredite se quiser, se ele dissesse que não tinha feito nenhuma, o pai exigia que ele se levantasse e fizesse algum ato de gentileza ou um serviço altruísta a alguém antes de se deitar.

"Uma das virtudes de uma vida iluminada mais fundamentais que eu posso compartilhar com você, John, é este: depois que tudo acabou, independentemente do que você conseguiu realizar, independentemente de quantas casas de praia você tenha, de quantos carros estejam na sua garagem, *a qualidade da sua vida vai se resumir à qualidade da sua contribuição.*"

— E isso tem alguma ligação com as rosas amarelas na fábula do iogue Raman?

— É claro que tem. As flores vão te lembrar daquele velho provérbio chinês: "Um pouco do perfume sempre fica na mão de quem entregou as rosas." O significado é muito claro. Quando você trabalha para melhorar a vida dos outros, indiretamente eleva a sua vida ao longo do processo. Quando você se preocupa em praticar diversas ações gentis diariamente, a sua vida passa a ser muito mais rica e significativa. Para cultivar o sagrado e a santidade de cada dia, sirva aos outros de alguma maneira.

— Você está sugerindo que eu me envolva em algum tipo de trabalho voluntário?

— Esse seria um excelente ponto de partida. Mas o que estou falando é muito mais filosófico do que isso. Estou sugerindo que você adote um novo *paradigma* do seu papel aqui na terra.

— Estou boiando, mais uma vez. Explique o que significa a palavra "paradigma". Não sei ao certo o que é.

— Um paradigma é simplesmente uma maneira de olhar para uma circunstância ou para a vida de modo geral. Algumas pessoas acham que o copo da vida está meio vazio. Os otimistas acham que está meio cheio. Eles interpretam a mesma situação de maneiras diferentes, porque adotaram paradigmas diferentes. Um paradigma é, basicamente, a lente pela qual você enxerga os acontecimentos da sua vida, tanto os internos, como os externos.

— Portanto, quando você sugere que eu adote um novo paradigma do meu propósito, está dizendo que eu deveria mudar a maneira como vejo o mundo.

— Mais ou menos isso. Para melhorar drasticamente a sua vida, você precisa cultivar uma nova perspectiva sobre o que está fazendo aqui na terra. Você tem que perceber que, da mesma maneira como entrou aqui com nada, está fadado a sair com nada. Assim sendo, só pode haver um motivo para estar aqui.

— E que motivo seria esse?

— Se doar aos outros e fazer uma contribuição especial — respondeu Julian. — Não estou dizendo que não possa ter os seus brinquedinhos, ou que tenha que abandonar a profissão e dedicar a sua vida aos desvalidos, embora eu conheça gente que fez essa escolha e não se arrependeu. As pessoas estão trocando o dinheiro pelo significado. Advogados que costumavam julgar as pessoas pelo tamanho da conta bancária agora as estão julgando pelo tamanho do compromisso que elas têm com os outros e pelo tamanho do coração. Os professores estão saindo do casulo de uma profissão estável para alimentar o crescimento intelectual de crianças necessitadas nas zonas de conflito que fazem parte de nossas cidades. As pessoas ouviram o chamado claro das mudanças. Elas percebem que existe um propósito para suas vidas e que receberam dons especiais para ajudá-las a realizar esse propósito.

— Que tipo de dons especiais?

— Exatamente aqueles sobre os quais eu falei a noite inteira: capacidade mental abundante, energia ilimitada, criatividade infinita, disciplina sólida e uma fonte eterna de tranquilidade. Tudo é uma questão de liberar esses tesouros e aplicá-los em prol do bem comum — observou Julian.

— Continuo acompanhando. Como alguém pode sair por aí fazendo o bem?

— A única coisa que estou dizendo é que você deve priorizar a modificação da sua visão de mundo, de modo a parar de se ver unicamente como uma pessoa e começar a se ver como parte de um coletivo.

— Então devo ser mais gentil?

— É importante perceber que o maior ato de nobreza é se doar aos outros. Os sábios do Oriente chamam esse processo de *"se libertar das amarras do eu"*. É tudo uma questão de perder a consciência que você tem de si mesmo e começar a se concentrar num propósito mais elevado. Isso pode vir na forma de doar mais às pessoas que estão à sua volta, seja o seu tempo ou a sua energia, que na verdade são os seus recursos mais valiosos. Também pode ser algo como tirar um ano sabático e trabalhar com os pobres, ou uma coisa tão simples como deixar alguns carros passarem à sua frente no meio de um engarrafamento. Pode parecer piegas, mas se tem uma coisa que eu aprendi é que a vida passa a ter uma dimensão mais mágica quando começamos a lutar para fazer do mundo um lugar melhor. O iogue Raman diz que, quando nós nascemos, choramos enquanto todo mundo à nossa volta está feliz. Ele sugeriu que nós devemos levar as nossas vidas de maneira que, quando nós morrermos, o mundo inteiro chore enquanto nós nos deleitamos.

Sabia que Julian tinha razão. Uma das coisas que estavam começando a me incomodar na advocacia era que eu não sentia que estivesse realmente fazendo o tipo de contribuição que eu sabia que era capaz de fazer. É claro que eu tinha o privilégio de advogar numa quantidade de casos que serviam como precedentes legais e que faziam várias boas causas avançarem. Mas o Direito havia se transformado num negócio para mim, mais do que num ato de amor. Na faculdade, eu era um idealista como tantos dos meus contemporâneos. Comendo pizzas e café frios nos alojamentos, nós planejávamos mudar o mundo. Desde então, quase vinte anos se passaram e o meu desejo intenso de ser um arauto das mudanças havia dado lugar a um desejo intenso de pagar a hipoteca e aumentar o meu fundo de aposentadoria. Eu percebi, pela primeira vez em muito tempo, que tinha me isolado num casulo de classe média, que me protegia da sociedade como um todo, e que eu havia me acostumado a ele.

— Vou te contar mais uma história, e acho que você vai se identificar bastante com ela — continuou Julian. — Era uma vez uma senhora velha e frágil, cujo marido amoroso morreu. Aí, ela foi morar com o filho, a mulher dele e a neta. A cada dia, a visão da mulher piorava e a audição também. Alguns dias, as mãos dela tremiam tanto que as frutas caíam no chão e a sopa derramava do prato. O filho e sua esposa não podiam deixar de ficar irritados com a bagunça que ela fazia e um dia deram um basta naquilo. Eles instalaram uma pequena mesa para a senhora num canto perto do armário das vassouras e obrigaram que ela comesse todas as refeições ali, sozinha. Nessas horas, ela olhava para eles, do outro lado da sala, com os olhos cheios d'água, mas eles raramente falavam com ela enquanto comiam, a não ser para dar uma bronca porque a colher ou o garfo haviam caído.

"Uma noite, logo antes do jantar, a filhinha estava sentada no chão brincando com blocos de montar. 'O que você está fazendo?', perguntou o pai, curioso. 'Estou construindo uma mesinha para você e a mamãe', ela respondeu, 'para vocês comerem num canto no dia em que eu crescer.' O pai e a mãe ficaram em silêncio pelo que pareceu ser uma eternidade. Aí, eles começaram a chorar. Naquele instante, deram-se conta da natureza daquela ação e da tristeza que causavam. De noite, levaram a mulher de volta para o lugar que lhe era de direito na mesa do jantar e, daquele dia em diante, ela passou a participar de todas as refeições. E, quando um pouquinho de comida caía na mesa ou um garfo escapulia para o chão, ninguém parecia mais notar.

"Nessa história, os pais não eram pessoas más", disse Julian. "Só precisavam da faísca da consciência para acender a vela da compaixão. Ela e os atos diários de bondade fazem enriquecer a vida. Tire um tempo para meditar todo dia de manhã sobre o bem que você vai fazer pelos outros durante o seu dia. Palavras sinceras de elogio a quem menos espera, gestos de calor humano oferecidos a amigos que estejam passando por necessidades, pequenas demonstrações de afeto às pessoas da sua família sem motivo algum, tudo isso se transforma numa maneira muito mais maravilhosa de se viver. E, por falar em amizades, assegure-se de estar sempre as conservando. Uma pessoa com três amigos sólidos é realmente uma pessoa muito rica."

Concordei com a cabeça.

— Os amigos trazem humor, fascínio e beleza à vida. Há poucas coisas que rejuvenescem mais do que compartilhar uma sonora gargalhada com um velho amigo. Eles não deixam você perder a humildade quando fica arrogante demais, riem quando você está se levando muito a sério. Os amigos estão ali para ajudá-lo quando a vida apronta alguma com você e a situação parece pior do que realmente é. Quando eu era um advogado atribulado, não tinha tempo para os meus amigos. E agora estou sozinho, a não ser por você, John. Não tenho com quem fazer longas caminhadas no bosque, quando todos estão aninhados em suas camas quentinhas, dormindo. Quando acabo de ler um livro que me tocou profundamente, não tenho ninguém com quem compartilhar os sentimentos. E não tenho ninguém com quem abrir a minha alma quando o sol de um dia glorioso de outono aquece o meu coração e me enche de alegria.

Julian logo se recompôs.

— No entanto, o arrependimento não é o tipo de atividade para a qual eu tenha tempo. Aprendi com os meus professores em Sivana que "cada amanhecer é um novo dia para quem é iluminado".

Eu sempre tinha visto Julian como uma espécie de guerreiro sobre-humano dos tribunais, atingindo com golpes certeiros os argumentos dos adversários como um praticante de artes marciais detona uma pilha de tábuas altamente reforçadas. Era visível que o homem que eu conhecera há tantos anos se transformara numa pessoa de natureza totalmente diferente. O homem que estava à minha frente era gentil, bondoso e sereno. Parecia seguro em ser quem era e com seu papel no teatro da vida. Ao contrário de todo mundo que eu conhecia, ele parecia ver a dor de seu passado como um velho e sábio mestre e, contudo, ao mesmo tempo, ele demonstrava que a vida era muito mais do que a soma dos acontecimentos passados.

Os olhos de Julian brilhavam com a esperança do que estava por vir. Tive a sensação de estar envolto por seu senso de deleite diante das maravilhas do mundo e embevecido por sua desenfreada alegria de viver. Minha impressão era de que Julian

Mantle, o implacável advogado dos ricos e famosos, havia evoluído de um ser humano que nunca tivera a menor consideração por ninguém para um ser espiritual que vivia em prol dos outros. Talvez esse fosse o caminho que eu estava prestes a trilhar.

◎◎ O SÍMBOLO ◎◎

◎◎ A VIRTUDE ◎◎

Sirva aos Outros Altruisticamente

◎◎ A SABEDORIA ◎◎

No fim, a qualidade da sua vida se resume à qualidade da sua contribuição

Cultivar o sagrado de cada dia, viver para doar

Ao elevar a vida dos outros, a sua vida atinge as esferas mais altas

◎◎ AS TÉCNICAS ◎◎

Pratique Ações Diárias de Gentileza

Dê aos que Pedem

Cultive Relacionamentos mais Ricos

◎◎ CITAÇÃO PARA GUARDAR ◎◎

A coisa mais nobre que você pode fazer é se doar aos outros. Comece a se concentrar no seu propósito mais elevado.

O SEGREDO MILENAR PARA A FELICIDADE ETERNA 13

Quando admiro o espetáculo de um pôr do sol, ou a beleza da lua, a minha alma se expande em louvor ao Criador.

Mahatma Gandhi

JÁ HAVIAM SE passado 12 horas desde que Julian chegara à minha casa na noite anterior para compartilhar os conhecimentos que ele adquirira em Sivana. Aquelas 12 horas foram, sem dúvida alguma, as mais importantes da minha vida. Eu me sentia entusiasmado, motivado e, sim, podia dizer, até mesmo libertado — tudo ao mesmo tempo. Julian tinha mudado fundamentalmente a minha maneira de encarar a vida com a fábula do iogue Raman e as virtudes infinitas que ela representava. Percebi que eu não tinha sequer começado a explorar os limites do meu potencial humano. Sempre havia desperdiçado as bênçãos diárias que a vida jogara em meu caminho. Os conhecimentos de Julian tinham me dado a oportunidade de enfrentar as feridas que me impediam de viver rindo, com a energia e o contentamento que eu sabia que merecia. Fiquei sensibilizado.

— Daqui a pouco eu vou ter que ir. Você tem compromissos que deve cumprir e eu preciso continuar com o meu trabalho — disse Julian, se desculpando.

— O meu trabalho pode esperar.

— Infelizmente, o meu não pode — ele disse, com um sorriso rápido.

"Mas, antes de sair, preciso revelar o último elemento da fábula mágica do iogue Raman. Você deve se lembrar de que o lutador de sumô que saía do farol no meio de um belo jardim sem usar nada além de um cabo elétrico cor-de-rosa que cobria as partes íntimas escorregou num reluzente cronômetro de ouro e caiu no chão. Depois do que pareceu uma eternidade, ele recobrou inteiramente a consciência quando a maravilhosa fragrância de rosas amarelas chegou ao seu nariz. Ele então pulou de pé maravilhado e ficou impressionado ao ver um caminho longo e sinuoso coberto por milhões de diamantes. É claro que o nosso amigo lutador de sumô pegou esse caminho e, ao fazer isso, viveu feliz para sempre."

— É bem verossímil — eu ri.

— Eu concordo que o iogue Raman tem uma imaginação muito fértil. Mas você já pôde perceber que essa história tem um propósito e que os princípios que ela simboliza não só são poderosos, como também extremamente práticos.

— É verdade — concordei, sem reservas.

— Desse modo, o caminho dos diamantes serve para lembrar a última virtude de uma vida iluminada. Ao levar esse princípio com você para o seu trabalho diário, você vai enriquecer a sua vida de uma maneira que é difícil de descrever. Vai começar a ver maravilhas impressionantes nas coisas mais simples e viver com o êxtase que você merece. E, ao cumprir a promessa que me fez e compartilhá-la com as outras pessoas, você também vai permitir que elas transformem o mundo delas de uma coisa ordinária em algo extraordinário.

— Vai demorar muito até eu aprender?

— O princípio em si é extremamente fácil de ser entendido. Mas aprender a colocá-lo em ação o tempo todo que você estiver acordado vai exigir umas duas semanas de prática regular.

— Ok. Eu estou morto de vontade de ouvir.

— É engraçado você usar essa expressão, porque a sétima e última virtude trata da vida. Os Sábios de Sivana acreditavam que uma vida realmente alegre e compensadora só vem através de um processo chamado "viver o momento". Esses iogues sabiam que o passado já aconteceu e o futuro é um sol distante no horizonte da imaginação. O momento mais importante é o agora. Aprenda a viver nele e a saboreá-lo inteiramente.

— Eu entendo exatamente o que você quer dizer, Julian. Parece que eu passo a maior parte dos dias remoendo o que aconteceu num passado que não tenho a menor condição de mudar, ou me preocupando com o que está por vir, que talvez nunca aconteça. Minha cabeça está sempre cheia de milhões de pequenos pensamentos me puxando para um milhão de direções diferentes. É realmente muito frustrante.

— Por quê?

— Porque isso me deixa esgotado! Eu acho que simplesmente não consigo ficar calmo. No entanto, já passei por momentos em que a minha vida esteve totalmente ocupada com o que estava bem diante de mim. Geralmente isso acontecia quando eu estava com a corda no pescoço para entregar uma petição e não tinha tempo para pensar em mais nada além do trabalho à minha frente. Eu também senti essa espécie de concentração total quando estava jogando futebol com as crianças e realmente queria ganhar. Parecia que horas se passavam em minutos e eu me sentia centrado. Era como se a única coisa que valesse para mim fosse fazer o que eu estava fazendo naquele instante. Tudo o mais, as preocupações, as contas, meu trabalho como advogado, não contava. Aliás, agora que eu estou pensando no assunto, esses provavelmente foram os momentos em que eu me senti mais tranquilo.

— Estar envolvido numa atividade realmente desafiadora é o caminho mais certo para a satisfação pessoal. Mas a verdadeira chave é se lembrar de que *a felicidade é uma viagem, não um destino*. Viva para o dia de hoje. Nunca mais vai haver outro igual a este — declarou Julian, as mãos macias se juntando como numa oração de agradecimento por ter revelado o que tinha acabado de dizer.

— É esse o princípio que o caminho dos diamantes simboliza na fábula do iogue Raman? — perguntei.

— É — respondeu ele, rapidamente. — Assim como o lutador de sumô encontrou a alegria e a satisfação duradouras andando pelo caminho dos diamantes, você pode ter a vida que merece a partir do momento em que começar a entender que seu caminho é cheio de diamantes e de incontáveis outros tesouros. Pare de passar tanto tempo correndo atrás dos grandes prazeres, enquanto se descuida dos pequenos. Vá mais devagar. Curta a beleza e o sagrado de tudo o que está à sua volta. Você deve isso a si mesmo.

— Isso quer dizer que eu devo parar de estabelecer metas grandes para o meu futuro e me concentrar no presente?

— Não — rebateu Julian, com firmeza. — Como eu disse antes, metas e sonhos para o futuro são elementos essenciais em todas as vidas verdadeiramente bem-sucedidas. A esperança sobre o que vai aparecer no seu futuro é o que mantém alguém inspirado durante o dia. As metas energizam a sua vida. O que eu quero dizer é simplesmente o seguinte: nunca adie a felicidade em nome de uma realização. Nunca adie as coisas que são importantes para o seu bem-estar e sua satisfação para um momento posterior. Hoje é o dia para se viver integralmente, e não quando você ganhar na loteria ou se aposentar. Nunca adie a sua vida!

Julian se levantou e começou a andar de um lado para outro pela sala, como um velho advogado soltando seus últimos argumentos racionais numa apaixonada alegação final.

— Não cometa o erro de pensar que você vai ser um marido mais amoroso e generoso quando o escritório contratar mais alguns advogados juniores para tirar esse peso de cima de você. Não se engane acreditando que vai começar a enriquecer a sua mente, cuidar do seu corpo e alimentar a sua alma quando a sua conta bancária tiver bastante dinheiro e você puder se dar ao luxo de ter mais tempo livre. Hoje é o dia de curtir os frutos dos seus esforços. Hoje é o dia de viver o momento e ter uma vida espetacular. Hoje é o dia de viver com a sua imaginação e cultivar os seus sonhos. E, por favor, nunca, mas nunca se esqueça da bênção que é ter uma família.

— Eu não sei se estou entendendo exatamente onde você quer chegar, Julian.

— Viva a infância dos seus filhos — foi a resposta.

— Hein? — balbuciei, perplexo com aquele aparente paradoxo.

— Poucas coisas são mais significativas do que fazer parte da infância dos filhos. De que adianta subir os degraus do sucesso se você não acompanhou os passos dos seus próprios filhos? De que adianta ter a maior casa do quarteirão se você não teve tempo de criar um lar? De que adianta ser famoso no país inteiro como um advogado de primeira grandeza se os seus filhos nem conhecem o próprio pai? — respondeu Julian, com a voz agora trêmula de emoção. — E eu posso falar isso de cátedra.

Esse último comentário me jogou no chão. Por tudo o que eu sabia, Julian era um superadvogado que vivia no meio dos ricos, lindos e famosos. Seus encontros românticos com jovens modelos eram quase tão lendários quanto as suas habilidades num tribunal. O que esse ex-playboy milionário podia saber sobre ser um bom pai? O que ele iria saber das lutas diárias com as quais eu me confrontava, tentando ser tudo para todo mundo, um grande pai e um advogado de sucesso? Mas o sexto sentido de Julian captou o que eu estava pensando.

— Eu conheço algumas das bênçãos do que nós chamamos de filhos — disse ele, suavemente.

— Mas eu sempre achei que você era o solteirão mais cobiçado da cidade, até jogar a toalha e largar o Direito.

— Antes de ser pego na ilusão de uma vida rápida e furiosa, pela qual eu era tão conhecido, você sabe que eu fui casado.
— Sei.
Ele então fez uma pausa, como uma criança costuma fazer antes de contar ao melhor amigo o seu segredo mais bem guardado.
— O que você não sabe é que eu também tive uma filhinha. Ela era a criatura mais doce e mais delicada que eu já vi na vida. Naquela época, eu já era bem parecido com aquele que você conheceu: arrogante, ambicioso e cheio de expectativas. Eu tinha tudo o que alguém poderia desejar. As pessoas me diziam que eu tinha um futuro brilhante, uma mulher linda de morrer e uma filhinha maravilhosa. Porém, quando a vida parecia perfeita, tudo foi tirado de mim num instante.

Pela primeira vez desde que voltou, o rosto infinitamente alegre de Julian ficou envolto numa aura de tristeza. Uma lágrima solitária começou a descer por uma de suas bochechas bronzeadas e pingou no tecido aveludado de sua túnica rubi. Fiquei estupefato e surpreso com a revelação daquele amigo de longa data.

— Você não tem que continuar, Julian — ofereci, simpaticamente, passando o braço em volta de seu ombro para confortá-lo.
— Mas eu quero, John. De todo mundo que eu conheci na minha antiga vida, você era o mais promissor. Como eu disse, você me fazia me lembrar muito de mim mesmo quando eu era mais jovem. Mesmo hoje, você movimenta tantas coisas. Mas, se continuar vivendo desse jeito, vai se encaminhar para um desastre. Eu voltei para cá para te mostrar que há tantas coisas maravilhosas esperando que você vá explorá-las, tantos momentos esperando para ser saboreados.

"O motorista bêbado que matou a minha filha não tirou só uma vida preciosa numa tarde ensolarada de outubro. Tirou duas. Depois que a minha filha morreu, a minha vida começou a desmoronar. Eu comecei a passar todos os minutos do meu dia no escritório, esperando estupidamente que a minha carreira como advogado viesse a ser a salvação para um coração partido. Às vezes, chegava a dormir no sofá da minha sala, de tanto horror que eu tinha de voltar para casa, onde tantas lembranças doces haviam sido derrubadas. E, apesar de a minha carreira ter realmente decolado, o meu mundo interior estava uma zona. Minha mulher, que tinha sido minha companheira fiel desde os tempos da faculdade, foi embora, dizendo que a minha obsessão pelo trabalho foi a última palha que fez o camelo arriar. Minha saúde se deteriorou e eu desci a ladeira para aquela vida infame que eu tinha quando a gente se conheceu. É verdade que eu tinha tudo aquilo que o dinheiro podia comprar. Mas eu vendi a minha alma por isso. Vendi mesmo", comentou Julian, emocionado, a voz ainda embargada.

— Por isso, quando você diz "viva a infância dos seus filhos", está basicamente me dizendo para ter tempo de vê-los crescer e desabrochar. É isso, não é?

— Até hoje, 27 anos depois que ela se foi enquanto a gente a levava para a festinha de aniversário da melhor amiga, eu daria tudo para poder ver a minha filha rir de novo ou brincar de pique-esconde como a gente fazia no jardim dos fundos de casa. Eu adoraria segurá-la nos braços e acariciar de leve seus cabelos dourados. Ela levou um pedaço do meu coração quando foi embora. E, apesar de a minha vida ter ficado inspirada e com um novo significado quando eu encontrei o caminho para a iluminação e a autoliderança em Sivana, não se passa um único dia sem que eu veja o rostinho cor-de-rosa da minha querida filhinha no teatro silencioso da minha cabeça. Você tem filhos tão bonitos, John. Não deixe de ver a floresta por causa das árvores. O melhor presente que você pode dar aos seus filhos é o seu amor. Volte a conhecê-los. Mostre a eles que são muito mais importantes do que as recompensas passageiras da sua vida profissional. Logo, logo eles vão embora, vão construir a vida e as famílias deles. E aí vai ser tarde demais. O momento passou.

Julian tinha tocado num ponto muito profundo em mim. Acho que eu já vinha percebendo, havia algum tempo, que o meu ritmo de viciado em trabalho estava lenta mas constantemente afrouxando os nossos laços familiares. Mas era como um fogo brando, que queimava silenciosamente, juntando devagar a energia antes de revelar toda a extensão do seu potencial destrutivo. Eu sabia que os meus filhos precisavam de mim, mesmo que eles não me dissessem. Eu precisava ouvir isso do Julian. O tempo estava se esvaindo e eles estavam crescendo tão depressa. Não conseguia me lembrar da última vez em que eu e o meu filho Andy tínhamos dado uma escapada numa linda manhã de sábado para passar o dia no local de pesca de que o avô dele tanto gostava. Houve uma época em que nós íamos para lá todo fim de semana. Agora, esse ritual tão antigo parecia ser a lembrança de outra pessoa.

Quanto mais eu pensava nesse assunto, mais ele me incomodava. Recitais de piano, brincadeiras de Natal, campeonatos juvenis — eu havia aberto mão de tudo em troca do meu progresso profissional.

— O que foi que eu fiz? — me perguntei. Eu estava realmente descendo a ladeira escorregadia que o Julian havia descrito. Naquela hora e ali mesmo, decidi mudar.

— A felicidade é uma viagem — continuou Julian, a voz se erguendo de novo, com o calor da paixão. — E também é uma escolha que você faz. Você pode ficar maravilhado com os diamantes ao longo do seu caminho, ou pode ficar correndo durante todos os seus dias, atrás daquele pote de ouro no fim do arco-íris que está sempre fugindo de você e que acaba se revelando vazio. Curta os momentos especiais que todos os dias oferecem, porque o dia de hoje é tudo o que você tem.

— Alguém pode aprender a "viver no momento"?

— Totalmente. Não importa qual seja a sua situação atual, você pode treinar para curtir a bênção de viver e de encher a existência com as preciosidades da vida quotidiana.

— Mas isso não é ser otimista demais? E aquelas pessoas que perderam tudo o que têm por causa de um mau negócio?

Digamos que elas estejam não só financeira, mas emocionalmente falidas.

— O tamanho da sua conta bancária e o tamanho da sua casa não têm nada a ver com viver a vida com uma sensação de alegria e encantamento. O mundo está cheio de milionários infelizes. Você acha que os sábios que eu conheci em Sivana se preocupavam em manter uma carteira de investimentos equilibrada e comprar uma casa de praia no sul da França? — perguntou Julian, sarcasticamente.

— Está bem. Eu já entendi o que você quer dizer.

— Há uma grande diferença entre ganhar muito dinheiro e viver uma vida rica. Quando você começar a gastar uns cinco minutinhos por dia para praticar a arte da gratidão, vai cultivar a riqueza de vida que procura. Até a pessoa que você citou no seu exemplo pode encontrar uma abundância de coisas pelas quais ela pode ficar agradecida, apesar da sua tenebrosa situação financeira. Pergunte se ela ainda tem saúde, uma família amorosa e uma boa reputação na comunidade. Pergunte se ela está feliz por ser cidadã deste grande país e se ainda tem um teto sobre a cabeça. Talvez ela não tenha nenhum ativo a não ser uma capacidade excepcional de trabalhar duro ou a capacidade de sonhar grande. No entanto, são ativos preciosos, pelos quais ela deveria ser grata. Todos nós temos muitas coisas pelo que agradecer. Até os passarinhos que cantam no beiral das janelas naquilo que parece ser mais um magnífico dia de verão aparecem como uma bênção para uma pessoa sábia. Lembre-se, John, de que a vida nem sempre dá o que você pede, mas sempre dá aquilo de que você precisa.

— E assim, se eu agradecer todo dia por todos os ativos que tenho, sejam eles materiais ou espirituais, eu vou desenvolver o hábito de viver o momento?

— Vai. Esse é um método eficaz de colocar muito mais vida na sua vida. Quando saboreia o "agora", você atiça o fogo da vida que permite que você faça o seu destino crescer.

— Que eu faça o meu destino crescer?

— Exato. Eu disse antes que todos nós temos alguns talentos. Toda pessoa neste mundo é um gênio.

— Você fala isso porque não conhece alguns dos advogados com quem trabalho — brinquei.

— Todo mundo — enfatizou Julian. — Todos nós temos uma coisa que nós nascemos para fazer. O seu gênio vai brilhar e a felicidade vai encher a sua vida no momento em que descobrir o seu propósito mais alto e então concentrar todas as suas energias nessa direção. Uma vez que você se conecte com a sua missão, seja ela ser um grande educador ou um artista inspirado, todos os seus desejos vão se realizar sem esforço. Você não vai ter nem que tentar. Aliás, quanto mais esforço você fizer, mais difícil vai ser atingir seus objetivos. Em vez disso, limite-se a seguir o caminho dos seus sonhos, na mais completa expectativa de que o tesouro vai chegar. Isso vai levá-lo ao seu destino divino. E isso é o que eu quero dizer quando falo em fazer o seu destino crescer — comentou Julian, com sabedoria.

"Quando eu era menino, o meu pai adorava ler para mim uma historinha chamada 'Pedro e o Fio Mágico'. Pedro era um menino muito ativo. Todo mundo o adorava: a família, os professores, os amigos. Mas ele tinha um ponto fraco."

— E qual era?

— Pedro nunca conseguia viver no momento. Ele não tinha aprendido a curtir o processo da vida. Quando ele estava na escola, sonhava em estar brincando no pátio. Quando estava brincando no pátio, sonhava com as férias de verão. Ele vivia sonhando acordado e nunca se dava ao trabalho de saborear os momentos especiais que preenchiam os seus dias. Certa manhã, Pedro estava caminhando numa floresta perto de casa. Cansado, decidiu se sentar num gramado e acabou dormindo. Depois de alguns minutos de sono profundo, ele ouviu alguém chamando seu nome. "Pedro! Pedro!", veio a voz aguda lá de cima. Enquanto ele abria os olhos lentamente, ficou assustado de ver uma linda mulher de pé sobre ele. Ela devia ter mais de 100 anos e seus cabelos brancos como a neve caíam muito abaixo dos ombros, como um cobertor fosco de lã. Em sua mão enrugada havia uma bolinha mágica com um buraco no meio e do meio do buraco saía um longo fio de ouro.

"Ela falou: 'Pedro, este aqui é o fio da sua vida. Se você puxar ele um pouquinho, uma hora vai se passar em segundos. Se puxar com um pouco mais de força, dias inteiros vão se passar em minutos. E, se você puxar com muita força, meses, e até anos, vão se passar em alguns dias.' Pedro ficou muito animado com essa descoberta. 'Eu gostaria de ficar com isso, se eu puder', ele pediu. A senhora idosa rapidamente esticou a mão para ele e deu a bola com o fio mágico para o menino.

"No dia seguinte, Pedro estava na sala de aula se sentindo inquieto e aborrecido. De repente, se lembrou de seu brinquedinho novo. Quando puxou um pouquinho do fio dourado, ele logo se viu em casa, brincando no jardim. Percebendo o poder do fio mágico, Pedro logo se cansou de ser um aluno e decidiu que queria ser adolescente, com toda a excitação que essa fase da vida iria trazer. E assim, mais uma vez, ele tirou a bola do bolso e puxou o fio dourado com força.

"E de repente ele se viu um adolescente com uma namorada muito bonita chamada Elise. Mas Pedro ainda não estava satisfeito. Ele nunca tinha aprendido a curtir o momento e a explorar as pequenas maravilhas de cada etapa da vida. Em vez disso, sonhou em ser adulto. Mais uma vez ele puxou o fio e muitos anos se passaram num instante. Agora ele se via transformado num senhor de meia-idade. Elise agora era sua mulher e Pedro estava cercado de filhos. Mas percebeu mais uma coisa. O cabelo preto que ele tinha havia começado a ficar grisalho. E a mãe jovial que um dia teve e que tanto amava agora tinha ficado velha e frágil. Mas mesmo assim Pedro não queria viver no momento. Ele nunca tinha aprendido a "viver o aqui e agora". E, por isso, mais uma vez ele puxou o fio mágico e esperou as mudanças acontecerem.

"E agora Pedro se transformara num homem de 90 anos. O cabelo espesso e preto que ele tinha havia ficado todo branco, e Elise, a mulher que um dia fora linda, também havia envelhecido e falecido alguns anos antes. Seus magníficos filhos tinham crescido e saíram de casa para levar suas próprias vidas. Pela primeira vez, Pedro percebeu que não havia separado um tempo para abraçar as maravilhas da vida. Nunca tinha ido pescar com os filhos, ou dado um passeio à luz da lua com Elise. Nunca havia plantado um jardim ou lido os livros maravilhosos que a mãe dele adorava. Em vez disso, havia passado às pressas pela vida, sem nunca ter parado para ver tudo de bom que acontecia pelo caminho.

"Pedro ficou muito triste com essa descoberta. Ele decidiu sair para a floresta onde costumava andar quando era menino a fim de desanuviar a cabeça e aquecer o espírito. Quando entrou na floresta, percebeu que as pequenas mudas que ele vira na infância haviam se transformado em imensos carvalhos. A própria floresta havia amadurecido e se transformado num paraíso da natureza. Ele se deitou num pequeno trecho de grama e caiu num sono profundo. Depois de um único minuto, ele ouviu uma voz chamando por ele. "Pedro! Pedro!", ela gritava. Ele olhou para cima, espantado, e viu que não era ninguém mais, ninguém menos, do que a velha que havia lhe dado a bola com o fio dourado, muitos anos atrás.

"Ela perguntou: 'E então? Gostou do meu presente especial?'

"Pedro deu uma resposta de bate-pronto: 'No começo, foi divertido, mas agora eu o detesto. A minha vida inteira passou diante dos meus olhos, sem me dar a chance de aproveitá-la. Sim, é verdade que teria havido momentos ruins, assim como momentos bons, mas eu não tive a chance de vivenciar nenhum dos dois. Eu me sinto vazio por dentro. Eu perdi a dádiva de viver.'

"A velha falou: 'Você é muito ingrato, sabe? Mesmo assim, eu vou te conceder um último pedido.'

"Pedro pensou um pouco e respondeu, apressado: 'Eu gostaria de voltar a ser menino e viver a minha vida de novo.' E então voltou a dormir profundamente.

"E de novo ele ouviu alguém chamando o nome dele e abriu os olhos. 'Quem é que pode ser dessa vez?', se perguntou. Quando abriu os olhos, ficou totalmente maravilhado de ver sua mãe ao lado da cama. Ela parecia jovem, saudável e radiante. Pedro então percebeu que a mulher misteriosa da floresta tinha lhe concedido o pedido e o feito voltar à antiga vida.

"'Levanta logo, Pedro. Você dorme demais. Ficar aí sonhando vai acabar atrasando você para a escola, se não se levantar da cama agora mesmo', advertiu a mãe. Não precisa nem dizer que Pedro saiu correndo da cama naquela manhã e começou a viver da maneira como ele queria. Passou a levar uma vida plena, cheia de alegrias, surpresas e triunfos, mas tudo isso só aconteceu quando ele parou de sacrificar o presente pelo futuro e começou a viver o momento."

— É uma história impressionante — observei.

— Infelizmente, John, a história do Pedro e do Fio Mágico é só isso: uma história, um conto de fadas. Vivemos no mundo real e nunca teremos uma segunda chance de viver a vida ao máximo. Hoje é a sua chance de despertar para a dádiva da vida, antes que seja tarde demais. O tempo realmente escorre entre as mãos, como pequenos grãos de areia. Deixe que esse novo dia seja o momento definidor da sua vida, o dia em que você vai tomar a decisão, de uma vez por todas, sobre o que realmente é importante para você. Tome a decisão de passar mais tempo com as pessoas que dão sentido à sua vida. Reverencie os momentos especiais, curta o poder que eles têm. Faça as coisas que você sempre quis fazer. Escale aquela montanha que você sempre quis escalar, ou aprenda a tocar trompete. Saia para dançar na chuva ou monte um negócio novo. Aprenda a gostar de música, aprenda uma nova língua ou volte a atiçar o fogo que você tinha na infância. Pare de adiar a sua felicidade em nome de uma realização. Em vez disso, por que você não curte o processo? Reviva o seu espírito e comece a cuidar da sua alma. É o caminho para o Nirvana.

— O Nirvana?

— Os Sábios de Sivana acreditavam que o destino final de todas as almas verdadeiramente iluminadas era um lugar chamado Nirvana. Aliás, mais do que um lugar, os sábios acreditavam que o Nirvana era um estado que transcendia qualquer coisa que eles tenham conhecido antes. No Nirvana, tudo era possível. Lá não tinha sofrimento e a dança da vida se desenrolava com uma perfeição divina. Ao chegar ao Nirvana, os sábios sentiam que iam entrar num paraíso na terra. Essa era a meta final da vida deles — observou Julian, com o rosto radiando uma qualidade pacífica e quase angelical.

"Todos nós estamos aqui por uma razão especial", observou, profeticamente. "Medite sobre qual é a sua verdadeira vocação e como você pode se doar aos outros. Deixe de ser um prisioneiro da lei da gravidade. Hoje, acenda o fogo da sua vida e deixe ela brilhar claramente. Comece a aplicar os princípios e as estratégias que eu compartilhei com você. Seja tudo o que você pode ser. Vai chegar um momento em que você também vai provar os frutos de um lugar chamado Nirvana."

— E como é que eu vou saber que atingi esse estado de iluminação?

— Pequenas pistas vão aparecer e confirmar a sua entrada. Você vai começar a perceber o sagrado em tudo o que está à sua volta: a divindade do brilho da lua, a sedução de um céu azul exuberante num dia de verão escaldante, o desabrochar cheiroso de uma margarida e a risada de uma criancinha sapeca.

— Julian, eu prometo que o tempo que você passou comigo não foi em vão. Eu vou me dedicar a viver pela sabedoria dos Sábios de Sivana e vou cumprir a promessa de compartilhar tudo aquilo que aprendi com aqueles que vão se beneficiar com a sua mensagem. Estou falando com o coração e dou minha palavra quanto a isso — falei, sinceramente, sentindo pontadas de emoção dentro de mim.

— Espalhe o rico legado dos sábios para todos os que estão à sua volta. Eles vão se beneficiar rapidamente desses conhecimentos e melhorar a qualidade de vida, assim como você vai melhorar a qualidade da sua vida. E não se esqueça de que você tem que curtir a viagem. A estrada é tão boa quanto o destino.

Deixei que ele continuasse.

— O iogue Raman é um grande contador de histórias, mas uma história que ele me contou se destacou de todas as outras. Posso dividi-la com você?

— É claro.

— Há muitos e muitos anos, na antiga Índia, um marajá queria construir um grande tributo para a mulher como um sinal do amor profundo e da afeição que sentia por ela. Esse homem queria criar uma estrutura que o mundo nunca havia visto igual e que brilharia à luz da lua, uma construção que seria admirada por muitos séculos. Todo dia essa estrutura ficava um pouco mais nítida, cada vez mais parecida com um monumento, cada vez mais parecida com um sinal de amor lançado no céu azul indiano. Finalmente, depois de 22 anos de progressos gradativos e diários, esse palácio de mármore puro estava pronto. Sabe do que eu estou falando?

— Não faço a menor ideia.

— Do Taj Mahal. Uma das sete maravilhas do mundo — respondeu Julian. — O que eu quero dizer é muito simples. Todo mundo na terra é uma maravilha do mundo. Todos nós somos heróis de uma maneira ou de outra. Cada um de nós tem o potencial para realizações extraordinárias e para a felicidade duradoura. Tudo o que é necessário são pequenos passos na direção dos nossos sonhos. Como o Taj Mahal, uma vida repleta de maravilhas é construída dia a dia, bloco a bloco. Pequenas vitórias levam a grandes vitórias. Mudanças pequenas e melhorias incrementais, como as que eu sugeri, acabam gerando hábitos positivos. Os hábitos positivos geram resultados. E os resultados vão inspirá-lo a ir em direção a uma mudança pessoal maior. Comece a viver cada dia como se fosse o último. A partir de hoje, aprenda mais, ria mais e faça aquilo que você realmente gosta de fazer. Não renegue o seu destino. Porque o que está atrás de você e o que está à sua frente interessam muito pouco comparado ao que existe dentro de você.

E assim, sem dizer outra palavra, Julian Mantle, o advogado milionário que se transformou num monge iluminado, se levantou, me abraçou como um irmão e saiu da minha sala para o calor abafado de mais um escaldante dia de verão. Enquanto ficava sentado sozinho e juntava todo o meu conhecimento, percebi que a única prova que eu tinha da visita daquele mensageiro extraordinário estava quietinha na mesinha de café, à minha frente: uma xícara vazia.

⊙◎ O SÍMBOLO ◎⊙

⊙◎ A VIRTUDE ◎⊙
Abrace o presente

⊙◎ A SABEDORIA ◎⊙
Viva no "agora". Saboreie a dádiva que é o presente
Nunca sacrifique a felicidade pelas realizações
Saboreie a viagem e viva cada dia como se fosse o último

⊙◎ AS TÉCNICAS ◎⊙
Viva a Infância dos seus Filhos
Pratique a Gratidão
Faça o seu Destino Crescer

⊙◎ CITAÇÃO PARA GUARDAR ◎⊙
Todos nós estamos aqui por uma razão muito especial.
Pare de ser um prisioneiro do seu passado e torne-se
um arquiteto do seu futuro.

AS 7 VIRTUDES ETERNAS PARA UMA VIDA ILUMINADA

VIRTUDE — SÍMBOLO

1 Domine sua Mente — O Magnífico Jardim

2 Corra Atrás do seu Objetivo — O Farol

3 Pratique o *Kaizen* — O Lutador de Sumô

4 Viva com Disciplina — O Cabo Elétrico Cor-de-Rosa

5 Respeite o seu Tempo — O Cronômetro Dourado

6 Sirva aos Outros Altruisticamente — As Rosas Cheirosas

7 Abrace o Presente — O Caminho de Diamantes

A maioria dos livros do **Grupo Companhia das Letras** está disponível a preços especiais quando adquiridos em quantidade para uso corporativo e educacional. A editora oferece também edições exclusivas da obra que, em grandes tiragens, incluem: capas personalizadas, mensagens dirigidas e o logotipo da empresa. Essas edições são sujeitas à prévia autorização do autor da obra. Para mais informações, ligue para (11) 3707-3583 ou (11) 3707-3590 ou envie um e-mail para: vendascorporativas@companhiadasletras.com.br.

1ª EDIÇÃO [2011] 17 reimpressões

ESTA OBRA FOI COMPOSTA PELA ABREU'S SYSTEM EM ADOBE GARAMOND
E IMPRESSA EM OFSETE PELA LIS GRÁFICA SOBRE PAPEL PÓLEN DA
SUZANO S.A. PARA A EDITORA SCHWARCZ EM JANEIRO DE 2025

A marca FSC® é a garantia de que a madeira utilizada na fabricação do papel deste livro provém de florestas que foram gerenciadas de maneira ambientalmente correta, socialmente justa e economicamente viável, além de outras fontes de origem controlada.